HISTOIRE DES IDÉES
ET CRITIQUE LITTÉRAIRE

Vol. 182

MARY ANN CAWS

Professeur de littérature comparée et de langues romanes
à Hunter College et au Graduate Center
de la City University of New York

La Main de Pierre Reverdy

LIBRAIRIE DROZ S.A.
11, rue Massot
GENÈVE
1979

On peut s'éloigner en profondeur et on arriverait à se perdre de vue. Si on va trop loin par les côtés on s'efface brusquement, on n'est plus là. Si nous restons où nous sommes c'est un peu ennuyeux, mais ce n'est que là que nous devons et pouvons être.
Ne pas aller trop loin pour juger.

Self-Defence

The poem of the act of the mind.

Wallace Stevens

Pour Peter

NOTE PRÉLIMINAIRE

Les manuscrits des poèmes de Pierre Reverdy étudiés ici ont été consultés et cités avec la permission du Comité Pierre Reverdy ; ils se trouvent à la Bibliothèque Littéraire Jacques Doucet. Nous remercions très particulièrement, pour leur encouragement amical, François Chapon, Jacques Dupin et Etienne-Alain Hubert, ainsi que Micheline Tison-Braun pour son aide constante dans la présentation. La Fondation Camargo nous a fourni la tranquillité nécessaire à la révision de l'ouvrage, commencé avec l'aide de la John Simon Guggenheim Memorial Foundation. Peter Caws a donné son appui de philosophe dès le début.

Au cours de l'essai, nous soulignons pour attirer l'attention sur une certaine lecture ou plutôt relecture des textes, justifiée par la phonétique et par quelques remarques essentielles de Reverdy sur l'importance primordiale de l'oreille. Cette relecture aura pris son large seulement après le passage à travers une chambre close ou une chambre noire, et son but final sera resté simple. Tout écart de la lecture traditionnelle voudrait suggérer un développement — comme d'une photographie. Nous espérons qu'elle semblera enfin ressemblante même dans ses déformations.

PRÉFACE

« Par moment, j'ai besoin d'une musique d'ombre » (RV, 29).

Notre point de départ sera modeste : nous avons choisi un espace libre de tout système pour y situer ce simple recueil de considérations éparses. Jetées *« En vrac »,* les pensées de Reverdy forment toute une théorie esthétique, annoblie et intensifiée par leur fragmentation même. Le premier principe de cette théorie guidera notre lecture : déformer le réel pour en faire le poème, plus proche du miroir réfléchissant — reflet du reflet — que de la « vase de fond ». (C'est ainsi que le poète appelle la réalité.)

« La poésie est dans ce qui n'est pas » (EV, 139). Il faut, paraît-il, quitter cette basse actualité ou par un saut vers la hauteur, ou par une déformation volontaire. Ce terme de « déformation », le lecteur de Reverdy sera peut-être tenté de le rapprocher de termes en apparence plus positifs, tels que « former » et « se reformer », qui figurent dans le texte :

> « Pour m'adapter au réel, une adaptation se prépare, pour pouvoir vivre dans ce bocal on a été obligé, et j'ai été surtout ensuite obligé moi-même, de me forger sans arrêt, de me former et de me reformer... toujours selon les exigences d'un état de choses extérieur et jamais d'après le simple élan de ma nature... » (EV, 2).

Bref, le naturel de l'homme est loin du poétique : être contrarié, dit Reverdy, c'est la source du poème, qui canalise l'énergie opposée au désir initial du poète, et profite de sa force. La spontanéité se déforme par une sorte de pression esthétique qui a pour but d'intensifier l'expression, si détournée soit-elle.

« Il faut se garder de l'expression directe d'une émotion, d'un sentiment vécus » (EV, 35). On met à fondre cette « ferraille » (d'où le titre d'un des recueils les plus émouvants) dans un mélange d'éléments à demi cachés. De cette épreuve ardente, il sortira un métal tout neuf : « me forger sans arrêt ».

Ce qui nous invite à des lectures multiples, c'est toujours la déformation comme telle, voulue, exacerbée. Pour nous le faire découvrir, Reverdy, nous guidant lui-même dans le sens d'une perception hyper-consciente, recommande trois instruments optiques en succession rapide : une lorgnette, une loupe et un microscope. Chacun est décrit à son tour comme « plus ou moins perfectionné, plus ou moins déformant » (EV, 21). Que ce soit un verre qui grossit ou éloigne l'objet, l'instrument empêche souvent qu'on voie de face ou de trop près. De même que l'émotion première est à rejeter en faveur d'une émotion transfigurée et transfigurante, il faudrait constamment donner lumière et légèreté spirituelle à cette « vase profonde », opaque, cette source contrariée que le poète et le lecteur sont obligés de quitter pour se transformer : « Ce plan d'émotion libérée où se transfigure, s'illumine et s'épure l'opaque et lourde réalité » (EV, 33). Même sur le papier qui reçoit les forts signes des mots — trop forts, trop signifiants — il faut permettre l'obscur, pour que s'entende cette « musique d'ombre » ambiguë qui, paradoxalement, éclaire la scène. Reverdy désire que tout soit en nuances, ce qui fait obstacle à l'esprit dur et irrite la main trop précise, qui ne se déciderait pas à se prêter à la déformation possible, souhaitée.

A quel point la personne du poète se trouve attachée à cet agencement de miroir et de reflet déformant, c'est ce qu'indiquent suffisamment trois descriptions aux images verbales et liquides, citées dans l'ordre où elle figurent au début de ce recueil dont les parties composantes sont jetées « en vrac ». Nous avons déjà cité la première description qui joint terre, air, eau et feu : le poète saute vers la hauteur pour trouver ensuite le réel : « comme les gouttes d'eau jaillies, au choc, de la rivière, s'y incorporent à nouveau, après avoir jeté les feux de diamant dont les a parées la lumière » (EV, 5). Cette description met en valeur une montée lumineuse, ardente. Dans le second passage, les œuvres poétiques sont décrites au moyen de trois éléments, comme des bulles d'air, « toujours limpides, quelle que soit la putridité de la vase » (EV, 5). Toujours dans le cas de l'opposition : vase X lumière, ou bas X haut, la « putridité » de la vase, symbole de bassesse physique — est révélatrice de l'attitude de Reverdy envers le réel — met en valeur la transparence de l'art situé au niveau supérieur qui n'en est nullement troublé. Dans le dernier texte, voici que la métaphore, toujours liquide mais d'où les autres éléments, air et terre et feu, ont disparu, révèle la blessure réelle jusqu'ici cachée, source de l'énergie créatrice : « Quelque chose comme des gouttes de sang qui jailliraient d'une blessure sans grande gravité. » Le « patient n'est pas encore mort », dit Reverdy, et ces gouttes le prouvent. Mais ne devrions-nous pas comprendre ce « patient » comme indiquant aussi la lenteur patiente de cette déformation du réel ?

La personnalité du poète détermine la main et la *manière* de Reverdy : « *La main ne ment pas... et d'ailleurs peu de gens y pen-*

sent. Elle se déforme... » (EV, 22) (nous soulignons). En utilisant ce texte pour clore nos brèves remarques sur cette personnalité de grand blessé qui est à la source de ce style déformant, nous courons le risque de déformer à notre tour le texte de Reverdy.

Car il parle — *selon les apparences* — de la main corporelle, tactile. Pourtant, enfin, la perception de la déformation touche (c'est bien le verbe qui convient et nous le choisissons exprès) à une gamme d'impressions jusqu'ici refoulées dans l'ombre de sa « chambre noire ». En choisissant de croire que ce miroir déformant ressemble pourtant au vrai poète, nous ne faisons que nous confier à cette main, qui nous mènera loin, même par les voies, détournées en apparence, d'une « musique d'ombre ».

I. — LECTURE DANS UNE CHAMBRE CLOSE

Si l'on en juge d'après les déclarations de Reverdy, par exemple celles que nous lisons dans l'essai « Présence du poète à la postérité » (*Verve* n° 11, printemps 1938), il n'aurait jamais choisi pour ses textes une ambiguïté *obscurcissante* : « Un livre n'est pas une question. Je croyais plutôt que c'était, précisément une réponse. La réponse que celui qui l'a écrit se fait à lui-même... » Cela implique non le refus de toute ambiguïté, mais plutôt le choix d'une multiplicité d'éclaircissements, réponse multivalente qui ouvre et qui s'ouvre.

Le poète fera place à une pluralité latérale d'interprétations en même temps qu'il fera preuve de sa foi dans la collaboration du lecteur. L'œuvre, produit du poète et du lecteur, aura sa lumière propre — la lecture de même.

En témoigne un passage du *Gant de crin* :

> Une œuvre n'est pas forcément obscure parce qu'elle est fermée. Seulement, au lieu de heurter les murs pour y pénétrer, il s'agit de prendre l'issue qui leur distribue la lumière (GC, 29).

Il n'y a aucun doute possible quant à la fermeture de cette œuvre elle-même. Partout dans les écrits de Reverdy abondent les métaphores de la « chambre noire », de la « chambre close » ; Reverdy appellera l'un de ses poèmes en prose, aussi bien qu'un de ses contes, « La Chambre noire », titre dont l'importance se révélera tout le long de cette étude. Nous verrons plus loin un changement d'importance centrale apporté à la phrase centrale du conte, ce qui va renforcer l'idée positive du poème comme appareil photographique transformateur de la vie extérieure au texte.

Partout les signes renvoient à l'intérieur : « Il faudrait pouvoir dire ce qui se passe dans sa tête quand il se trouve seul, la lumière éteinte, entre ses draps » (PA, 19). Les couvertures de son lit servent à protéger du réel externe et pour accentuer les particularités du réel interne qu'elles aident à *développer* : si bien que le poème devient le récit la plupart du temps déformant de cette transmutation au moyen de la chambre noire dont il est aussi l'agent. Cette déformation est le propre de l'art de Reverdy, et notre lecture — en apparence parfois déformante — aura comme fonction ou plutôt comme but le rétablissement d'un texte non pas original, mais entrevu seulement en développement.

Ce que nous pourrions appeler une esthétique de la lecture, qui répondrait exactement à l'esthétique du créateur, on en trouve la formulation lapidaire dans un « récit » en prose poétique de Reverdy, *La Peau de l'homme*. D'abord, il ne s'agira jamais d'autres textes antérieurs ou postérieurs : « J'y suis. Ne vous rappelez pas ce que j'ai déjà fait » (PH, 104). Ensuite, la lecture, en tant que déposition de substance, sera œuvre de patience : « Une première porte s'ouvre » (PH, 103). Il faudrait donc s'attendre à ce que les portes s'ouvrent les unes assez lentement après les autres. Ensuite, la perspective adoptée sera d'un autre niveau que d'habitude : « Seulement il y a parfois une lucarne qui s'ouvre tout en haut et à laquelle on se met à regarder » (PH, 109). Et en dernier lieu, la notice que pourrait afficher chaque lecteur de Reverdy au-dessus de son propre travail, si minime soit-il, se présente ainsi :

> Oeuvre calme
> Chaque phrase aussi pure que la vibration métallique d'un timbre
> J'entre et je vois

Il s'agit ici d'un certain isolement spatial, d'un alignement nu et clair d'éléments où il y a toujours une place faite à la performance du lecteur, à son *voir*.

« Il s'agit d'émouvoir » (CE, 28).

La vraie substance poétique, dit Reverdy, réside dans le poète : « Chaque poème est le terme d'un mouvement de l'âme, une facette de l'indéfinissable image, la photographie d'un de ses multiples aspects » (NS, 207). Le poète doit émouvoir par son art, comme la nature ne le peut pas ; il ne s'agit jamais d'imiter le réel mais de la créer, d'où l'intensité sentie dans tous les fragments que Reverdy appellera poèmes, ces illusions d'un fragment « de vie *irréelle intense* » (NS, 43). Il conclut que la poésie n'est ni dans les choses ni dans l'homme, mais entre les deux, créée, traduisant les mouvements de l'âme et pourtant liée à l'extérieur. (« Cet amour insensé, excessif, dont le poète est altéré, du réel... ») (CE, 28).

Tenant compte de ces positions théoriques, ce qui nous a intéressée le plus ici, c'était l'effort de capter cette intensité émotionnelle intérieure à la lecture individuelle même, dans l'espoir de la collaboration esthétique que Reverdy aurait souhaitée. Car l'émotion esthétique, selon lui, naît du réel capté et revitalisé par l'âme — elle est renouvelable, s'insérant « dans l'être même de celui qui la reçoit, lui apportant une interprétation de lui-même » (CE, 31).

Reverdy fera d'une « ressemblance de rapports » la pierre de touche de sa poétique, et comme lui, nous voudrions examiner quelques rapports, mais tous métapoétiques, tous éléments d'une sorte de métalecture qui se veut sévèrement limitée. Le poème, comme l'âme du poète, devient une *chambre close* dont le mystère ne doit être pénétré que dans le domaine lectural, si on peut dire. De « l'obscurité apparente » de ses poèmes, Reverdy dit : « Chacun d'eux est une chambre close où le premier indiscret venu n'est pas admis. Il faudra prendre la peine et le soin d'allumer sa lampe avant de pénétrer » (NS, 206). Cette lampe, qu'il appelle l'intelligence du lecteur, nous ne pouvons la choisir qu'éclairant à demi.... Et, apparentée à la notion du mystère, celle de la marge laissée par tout lecteur et tout poète, entre les mots et autour du poème, comme autour de la lecture : car les œuvres de Reverdy sont très certainement de celles qu'il a décrites par les mots que voici :

> le nombre incalculable d'œuvres qu'on pourrait dire à retardement, dont la beauté et la force ne se sont laissé dévoiler que fort lentement, par de successives générations et pour des raisons éminemment contradictoires, c'est-à-dire des œuvres qui retenaient dans leurs rets assez de mystère pour n'être que très difficilement accessibles aux simples guetteurs du présent — bref des œuvres qui comportassent entre leurs éléments constitutifs visibles, assez de blanc, assez de marge pour que les générations suivantes pussent y venir déposer, sans jamais affaiblir ni profondément altérer la pureté et la valeur de leur originelle structure, autant et même plus de substance qu'elles pouvaient en extraire elles-mêmes. Car une œuvre qui dure sans vieillir, qui grandit en durant, c'est une œuvre à laquelle tous ceux qui prétendent l'aimer, la comprendre, la commenter, la répandre en l'amplifiant d'une légende qui, d'ailleurs, la plupart du temps la déforme, collaborent (CE, 112-113).

La marge restera donc intacte, et on ne trouvera ici que l'esquisse d'une interprétation : libre à tout autre lecteur d'y collaborer. Nous n'aurons voulu rien d'autre qu'une présentation bien modeste d'une lecture de quelques rapports entre quelques attitudes, quelques formes, quelques thèmes, appuyée d'un travail sur les manuscrits, pour nous assurer, autant que possible, de la justesse de notre façon de voir. Le travail sur les manuscrits, présenté avec encore moins de formalité que la lecture première, a été placé à la fin de l'essai, pour ne pas brouiller inutilement le premier chemin visible.

Dans notre lecture, nous attirons bien souvent l'attention sur une autre manière de lire que celle choisie d'abord par les yeux et l'intellect. Cette autre manière prendra souvent son point de départ dans la phonétique. « L'oreille, dit Reverdy, c'est le trou de la serrure de la porte ouvrant sur le cœur » (CE, 121). Nous reviendrons plus tard sur l'image du trou, revalorisée, mais pour le moment il suffit de dire qu'au cœur même de toute cette sécheresse apparente, il y a eu une émotion réelle que nous essayons de saisir près de sa source orale, dans notre relecture qui se voudrait à la fois nouvelle et non moins ressemblante. Fidèle, sinon à la surface des choses, au véritable esprit intérieur des textes. Là, dans la chambre close, toute résonance est profonde.

**
*

« C'est ce que j'entends par l'indicible et qui pourtant doit être dit » (CE, 29).

« Audaces » : ainsi s'intitule à l'origine un conte de Reverdy qui se trouve dans le recueil lui-même appelé *Audace,* et plus tard seulement : *Risques et périls.* Cette audace cachée aux yeux, doublement, sera en fin de compte double, partagée par le poète et le lecteur. Comme image parfaite de cette collaboration, on pourrait considérer les remarques de Reverdy, si connues, sur l'image, dont la force doit venir de deux réalités, éloignées à l'origine, ensuite rapprochées. « Plus les rapports des deux réalités rapprochées seront lointaines et justes, plus l'image sera forte — plus elle aura de puissance émotive et de réalité poétique » (NS, 73). Ce n'est, paraît-il, que le développement par Reverdy d'un article de Georges Duhamel que lui a montré Breton. « Deux idées, si distantes soient-elles dans le monde des réalités, sont toujours, pour le poète, liées par un fil secret et ténu. Il appartient au plus grand art de tendre ce fil jusqu'à sa limite d'élasticité... » (NS, 282). De « la connaissance poétique », il dit en 1913 (article du même nom) que sa grandeur est de faire « que les choses s'éclairent mutuellement ». Deux idées, dit-il, peuvent demeurer neutres et sans valeur, jusqu'à ce que le poète les rapproche : « De leur brusque contact jaillira une grande flamme » (NS, 282).

Cette distance entre les deux éléments, cette rencontre soudaine, enflammée, tout au moins à l'intérieur — sentie, sinon vue — c'est ce que tout lecteur aimerait pouvoir dire de sa rencontre avec le texte poétique. La différence entre les deux moments, celui de la création et celui de sa réception — doit être fructifiante, marquée comme pour une mise en scène d'un théâtre intérieur, par une élasticité intellectuelle, par une intensité brûlante, une spontanéité toujours renouvelée.

II. — TEXTES ET SIGNES

« Que veut dire exactement la forme étrange de ce signe ? »

(« Le Dialogue secret », PH, 194)

Pour étudier le problème épineux de la structuration poétique, on se tiendra le plus près possible des textes tels qu'ils nous sont présentés. Puisque les thèmes se recoupent, et que les structures se retrouvent, on peut grouper les textes les plus intéressants selon un ordre quelconque, dans l'espoir que l'arrangement ne faussera aucun d'entre eux, ne recouvrira aucune des lectures possibles, aucun des sens possibles — mais qu'on peut tout simplement les laisser de côté au cours de cette lecture forcément individuelle.

Les problèmes à la base de notre examen de quelques textes sont pour la plupart d'ordre « métatextuel » — par exemple, comment le texte apparent réussit-il à en présenter un autre, caché ? Qu'est-ce qui sépare un tel texte des autres, moins intéressants de ce point de vue ? Comment reconnaître un mot ou une phrase qui en a déterminé d'autres, quelque fois d'une manière inconsciente ?

Telle est la méthode de travail constante au cours de la lecture de ces pages : le choix du texte précède nécessairement le choix du thème ou de l'image ou de la structure spécifiques qui seront examinés. C'est-à-dire que chacun des textes commentés frappe à première vue, bien qu'il ne soit pas toujours possible de localiser l'origine du ou des détails qui frappent. Le poème de Reverdy est un bloc indivisible, d'où l'absence évidente de « vers à citer », d'où aussi l'impression de monotonie voulue qui s'en dégage.

Ces textes-ci sont situés à un angle différent des autres. Ils ne se présentent pas de face, mais de côté ; ils divergent, sensiblement, des autres « textes poétiques » de cette période. On pourrait parler de déviation linguistique, d'a-grammaticalité, de surprise dans la micro-structure ou macro-structure, mais on se contentera d'esquisser simplement le profil de quelques textes dans leur architecture ou *architexture verbale* en voie d'édification, leur construction, ce dernier terme choisi pour rappeler à la fois le procédé et l'expérience individuelle de la lecture et de la relecture. (Voir notre chapitre « Vers une architexture du poème surréaliste », *Ethique et esthétique dans la littérature française du XXe siècle,* ed. Cagnon, Stanford, California, 1978, pp. 59-68.)

Ensuite, notre seul but sera de dégager de quelques constructions habituelles au poète et de quelques-unes de ses images privilégiées le système dans lequel elles sont insérées, sans toutefois donner au terme « système » un sens strict. Et plutôt que de nous pencher vers une interprétation psychologique, sans vouloir nier cette possibilité si évidente, nous préférons la mettre entre parenthèses. Nous nous intéressons moins à « l'intentionnalité » ou à la visée intentionnelle du poète qu'au résultat obtenu dans le texte, dont le reste n'est que la projection *a posteriori.*

Bien que nous ayons l'intention de nous limiter dans cette étude à certains fragments de poèmes pouvant servir de clés pour une interprétation de l'univers poétique de Reverdy, une première lecture portera — à titre d'exemple — sur un poème entier :

« La Voie dans la ville » (FV, 28)

Le grelot de la lune, la pointe du kiosque et la boule du toit.
L'atmosphère tinte.
On annonce la nuit.
Alors on s'aperçoit que les nuages sont enfermés.
Le globe est transparent.
Mais d'en bas on ne voit pas le verre ;
On ne pourrait pas le voir.
Ce soir la pointe du kiosque crève le toit, le verre.
Elle accroche le train qui passe, chargé de têtes et de lampes.
Le boulevard est plein de signes, entre les deux trottoirs ;
et de sourires étouffés près de la bouche.
L'été, l'arbre de feu et la tente du cirque.

Notre lecture ne prétendra pas atteindre autre chose qu'un clair obscur — éclairage et suggestion — ce qui nous semble approprié à la chambre noire que nous choisissons comme l'image par excellence de cet univers créé par notre lecture et de la production de cet univers.

Il serait facile de commenter *l'atmosphère* du poème, déjà soulignée par le poète au deuxième vers, et déjà pleine de résonance. La claustrophobie très particulière de l'univers de Reverdy : ces nuages enfermés, ces objets qui font pression sur le toit et même sur ce train qui passe, cette « plénitude » et cette absence de vision entière, tout cela pèse sur la lecture :

Mais d'en bas on ne voit pas le verre ;
On ne pourrait pas le voir.
...
... le train qui passe, chargé de têtes et de lampes.
Le boulevard est plein de signes...
Et de sourires...

Les images elles-mêmes sont visibles à l'extrême de l'irritation et de la gêne : elles dominent le champ de vision, comme une obsession : comme on entend très clairement ce grelot et ce tintement, on sent la pointe de ce kiosque dans tout son affûtage (elle est capable de percer, de crever, d'accrocher, non seulement le toit de la tente mais aussi notre regard). La prépondérance d'énigmes ne met pas le lecteur à l'aise : des annonces jusqu'aux signes et aux sourires, toute la toile du texte provoque un sentiment de frustration, car on sent aussi qu'il y a *autre chose que cela,* d'autres interprétations plus satisfaisantes, peut-être, qu'il y a, pour ainsi dire, quelque chose qui manque.

Comme base d'une interprétation possible de ce poème-exemple, nous prenons quelques autres poèmes, pour essayer de montrer une ouverture à cet univers intertextuel, où un texte en complète un autre, où une résonance en fait résonner une autre. D'abord, nous résumerons seulement les dates et les titres : deux poèmes de 1919 : « Compagnon » et « Pièges du vent », dont le titre original était « Num-Bok » lors de la parution de ces deux poèmes dans *Sic* (n°s 47-48, 15 juin-30 juin) : le changement de titre n'est pas sans intérêt, comme on verra — et trois poèmes datant de 1925 (*Les Feuilles libres,* octobre-novembre, n° 41) : « L'Air de glace », « Naufrages sans bouées » et « D'une autre rive ». Le poète lui-même nous fournit la justification de tels rapprochements inter-textuels ou inter-référentiels : « Je ne vois plus la poésie qu'entre les lignes » (FV, 6). Cette remarque, que nous interprétons librement, semble continuer la prière d'insérer de *Flaques de verre,* dont le titre fait pendant à celui de l'anthologie poétique parue en 1924 : *Les Epaves du ciel,* comme les deux faces d'un même miroir :

> Je ne vois plus la poésie qu'entre les lignes. Elle n'est plus pour moi, elle n'a jamais été pour moi dans les livres. Elle flotte dans la rue, dans le ciel... Et ce ciel, tourmenté et changeant, qui se reflète sur les routes, à peine dessinées, de ce ciel soyeux, caressé tant de fois comme une étoffe — derrière les vitres brisées, la poésie, sans mots et sans idées, qui se découvre (FV, 6).

De ces lignes, retenons surtout les « vitres brisées », reflet des fenêtres mallarméennes, qui serviront de clés pour le poème « Une Voie dans la ville ». Comment réconcilier le refus de voir la poésie « dans les livres » avec ces entre-lignes ou interlignes, et ces vitres ? — mais cela dépend du point où l'on situe « les livres », les lignes et les vitres par rapport les uns aux autres. D'un poème en prose de Reverdy, écrit en 1915, nous retenons ceci :

> Dans ma tête des lignes, rien que des lignes ; si je pouvais y mettre un peu d'ordre seulement (PT, 21).

Le peu d'ordre que nous y mettons, dans ses lignes et entre elles, doit être considéré comme hypothétique, et uniquement comme introduction aux « méthodes » et aux suppositions de notre étude, qui suivra, en effet, cette *voie* d'ambivalence et de relecture. On prendra les vers dans l'ordre du poème, comme ils nous sont donnés.

Tout d'abord, une voix sous-entendue dans le titre « La Voie » (« La Voix ») se fait le héraut de la nuit :

> On annonce la nuit.

La noirceur est signalée aussi par le tintement du grelot lunaire qui ouvre la lecture du poème — son qui a pu être suggéré par la forme en cloche de la boule du toit et par la pointe du kiosque. Quant au globe de verre qui enferme les nuages comme un toit, qui couvrirait un peu du ciel avec les rues et les bâtisses de la ville, ce toit sera brisé par la pointe du poème, comme les vitres, mentionnées dans la prière d'insérer : vers cette action, placée en évidence au centre du texte, convergent toutes les lignes :

> Alors on s'aperçoit que les nuages sont enfermés.
> Le globe est transparent.
> ...
> Ce soir la pointe du kiosque crève le toit, le verre.

Il faudrait d'abord assimiler l'apparition des images parallèles, leur surgissement dans les autres textes, dans l'ordre où ils se trouvent dans *Flaques de verre,* et tous avoisinant notre texte principal. Les images forment un tout sur le thème :

> eau — miroir — cristal — glace — verre — vitre

et un système ou réseau d'images associées à chaque avatar :

eau / flaque	bateau / barque / nageur / poisson	rive / naufrage
miroir / glace	visage / la prise photographique	représentation
globe / cristal / verre	vitre / transparence / toit	voir

Il s'agit d'abord de marquer les associations développées par la compilation de textes, pour commenter le thème ensuite. Bien souvent, l'image du miroir est associée à ce qui est brisé par un bruit ou un geste extrême, par exemple dans le premier texte, « D'une autre rive » (FV, 14).

> Vous avez crié trop fort et vous avez brisé mon miroir...
> Vous avez brisé son sourire.

Et, d'une forme aperçue entre les « arbres verts » de l'autre côté, ou « de l'autre rive », nous retenons surtout qu'elle n'a pas été *saisie* :

> Elle n'est plus prise dans ton miroir...

Le sourire brisé se trouve transféré à l'eau comme des rides ou des plis mouvants, en contraste avec une surface calme et avec la photo prise par le miroir : une fois le verre brisé, l'expression (du visage ou du langage) peut bouger, libérée. Voilà la conclusion de l'effort, pour tous les poèmes étudiés ici.

Le deuxième poème qui nous vient en aide, « Naufrages sans bouées » (FV, 15-16) présente le profil d'un bateau qui avance lentement, sinistré, d'où les passagers ne demandent pas mieux que de partir : comme le sourire du visage pris par le miroir ou par l'eau-miroir, ce bateau est pris dans l'eau qui monte, tandis que le soleil « mort, éteint », lui, reste pris au ciel, dans les « fils aériens qui le suspendent ». Le thème de l'emprisonnement de l'image apparaît donc également dans ce poème et ne peut pas manquer de nous guider vers les trois autres textes du même genre, et d'abord vers « L'Air de glace » (FV, 22), où l'hiver limite le mouvement. Le sourire déjà vu :

> Et de sourires étouffés près de la bouche (« La Voie »)

a sa contrepartie ici dans un visage rieur (cette fois-ci dans une barque, aperçue « contre la poupe au revers de l'eau »). Encore une fois ici, le progrès de la barque est ambivalent, comme pour retenir l'idée du naufrage :

> On ne sait pas si la barque avance ou le bois à côté... (« L'Air de glace »).

Mais on sent le même désir de libération que dans le poème « Naufrages » et la même impossibilité :

> Car il y a des jambes à travers les vagues transparentes et des poissons rouges qui font tous les tours de force pour s'en aller.
> ...
> Mais les poissons et les jambes ne bougent plus, l'eau est prise, les lignes des rives sont prises, et rien ne bouge plus (« L'Air de glace »).

L'appareil photographique capte, comme le miroir, la représentation des objets, mais sa prise est plus ferme : « Rien ne bouge plus », même sur la surface, ni les lignes ni les rives — car voici que la même représentation peut servir à plusieurs usages : de miroir, photo et toile (« un frais paysage dont le vernis tremble »). Ensuite, la vitre, le celluloïde ou le miroir brisés, ou la toile crevée, seront autant d'images de la libération de la *prise* et de l'emprise du texte, et du regard capable d'emprisonner toute la matière, toutes les lignes et tous les vers.

Le dernier texte propre à élucider le texte central, « Pièges du vent » (FV, 27) annonce le départ au début — comme le texte central annonce la nuit — et annonce aussi, d'une façon implicite, la rupture du texte :

> Les vibrations de l'air devaient apporter le signal.

En effet, ces vibrations, que sont-elle d'autre qu'une *brise* ? Les voiles pendent des mâts en l'absence du vent et l'élan (érotique ou poétique) se brise :

> Les ailes pendent. La tour se brise. Le verre se brise aussi.

Doublement déterminé, ou « surdéterminé », ce geste à la fois de la brise et qui brise, sert de signal pour le texte qui prendra son départ dans un brisement : notre texte principal. « Pièges du vent » signalent — et donc le changement du titre déjà remarqué — les dangers de la prison mais aussi la libération éventuelle, ce geste de crever la toile.

Regardons notre texte central encore une fois :

> Ce soir la pointe du kiosque crève le toit, le verre.
> Elle accroche le train qui passe, chargé de têtes et de lampes.
> Le boulevard est plein de signes, entre les deux trottoirs ;
> Et de sourires étouffés près de la bouche.
> L'été, l'arbre de feu et la tente du cirque.

Ce toit crevé de verre, ne serait-ce pas *le vers lui-même* ? Ce piège, ne serait-ce pas le lac où un autre cygne (signe virginal : « Le vierge, le vivace et le bel aujourd'hui ») avait été pris par un texte, dans la glace miroitante d'une eau gelée en vitre, pour que les ailes ne puissent servir ?

Car ce n'est qu'un moment après que le toit aura été crevé de l'intérieur que le train pourra passer à l'extérieur, comme une barque libérée de son gel, par un vent de renouveau. Car voici que ce n'est plus l'hiver de glace, mais l'été — clairement marqué au dernier vers — où le passage sera brûlant, visible dans l'arbre de feu final, enflammé comme un guide à une voie particulière, ou un signe spécifique à la lecture. La lecture elle-même attire l'attention par ces têtes et ces lampes dans le train — qui elles aussi servent à la lecture — tandis que cet objet de *passage* est illuminé comme l'arbre est allumé, par la lecture passionnée et nocturne. Voici que le signe prend son vol, à jamais.

La pensée des textes de Mallarmé fait flotter un sourire sur ce texte, comme aux lèvres de son lecteur qui l'y a transféré :

> Le boulevard est plein de signes, entre les deux trottoirs ;
> Et de sourires étouffés près de la bouche.
> L'été, l'arbre de feu et la tente du cirque.

Car ce n'est pas seulement le miroir de son lac dont il faut briser la glace pour que le signe qui guide notre lecture soit libéré, mais aussi le verre de ses vitres emprisonnantes (« Les Fenêtres » de Mallarmé) et enfin, la toile de sa tente de cirque pour que cet autre clown d'un poète génial se punisse (le « Pitre châtié »), en se plongeant dans l'eau pour s'effacer, pour noyer dans l'air de l'eau — comme dirait Breton — sa stylisation, son fard et sa *main*....

Voilà les signes dont cette voix est pleine, et voilà cet arbre de feu qui signale, comme la transfiguration d'un autre buisson biblique, ce passage non seulement par le feu (« L'été ») mais par les eaux d'oubli (« Léthé ») contenues par miracle dans la tente, dans l'attente de cette autre *Crise de vers*. Ce verre brisé et ces vers re-lus donnent à voir une attitude critique et doivent être pris comme le modèle de notre lecture à venir, et de sa voie.

Le poète déclare, à propos de sa propre lecture hautaine :

> Et je suis bien plus haut que les toits. Je voudrais voir un autre étage, en bas.

Nous lisons de même dans « Compagnon » (FV), qui débute par une situation frôlant déjà la catastrophe : « Sur le bord de la ligne... » C'est là où nous situons notre lecture, et « entre les lignes », en plein danger d'erreur. Le texte finit ainsi, par un simple geste d'ambivalence :

> Tournons la tête.

Nous voudrions proposer une dernière interprétation : que cet impératif s'adresse au lecteur, pour qu'il tourne la tête dans le sens du poème, tel qu'il lui semble être. C'est ce que nous tâchons de faire dans les pages qui suivent.

A. — OUVERTURE

1. *Piéton et Mythe*

« Les Jockeys mécaniques » (PT, 255-258).
« Piéton » (PT, 266-271).

Le premier poème du recueil « Les Jockeys camouflés » (dont le titre est inspiré d'une toile de Matisse, « Les Jockeys mécaniques ») forme avec le poème suivant, « Piéton », une sorte de diptyque épique, double portail et ouverture à l'œuvre de Reverdy. Plus longs que la majeure partie de ses poèmes, ils sont peu caractéristiques d'un autre point de vue aussi, étant expansifs plutôt qu'intensifs, si on peut dire, et plutôt inclusifs qu'exclusifs au point de vue des éléments incorporés ou rejetés. En un sens, les deux textes sont opposés. Alors qu'il s'agit dans le premier des chevaux d'abord mécaniques et ensuite surnaturels, qui touchent à la lune et aux étoiles, dans le deuxième, il s'agit d'un homme dont le pas est peu rapide. Le premier poème avance à un rythme accéléré, qui met une distance entre le lecteur et le texte ; le deuxième suit un rythme plus naturel, plus personnel.

« Les Jockeys mécaniques » débutent précisément par des images d'ouverture : des hublots ouverts et des trappes qui baillent. Sur un fond mélancolique d'images d'abandon telles qu'un cigare refroidi ou un tronc d'arbre, ou de l'âcre odeur de l'herbe roussie, les chevaux et « l'énorme main » qui les dirige se découpent clairement, leur silhouette marquée par la triple construction des vers dans leur disparition même, où la répétition approximative représente le bruit égal des chevaux diminué par la distance :

Ils meurent
Les chevaux ne sont plus que des bruits de grelots
En même temps que les feuilles tremblent
En même temps que les étoiles regardent
En même temps que le train passe en crachant des injures

Le grincement d'acier de ces chevaux mécaniques — montés par des jockeys mécaniques — introduit une série de développements verbaux — de la phrase-clé négative et cachée, introduite par deux vers préparatoires et mise en italiques comme pour se signaler :

Pas même de l'eau

Pas même de l'air

Le vide épais
↓
[Le vide est paix]

jusqu'à la complexité du réseau étendu qui occupe la majeure partie du poème :

Fil de fer
Toile d'araignée sur les yeux
On passe
...
Et les cavaliers levaient leurs lances
Les chevaux battaient leur ventre des fers lunaires
de leurs pieds
Les croissants de leurs pieds gardaient
la couleur de la lune où ils étaient
passés
En bas tout le monde levait la tête et regardait

La hauteur presque mythique des chevaux et des cavaliers dans leur passage céleste provoque l'émerveillement de ceux qui les observent. L'image des gens en chemise (dont « les yeux qui s'ouvrent à la lueur des étoiles ») correspond aux portes des villes qui s'ouvraient mais avec fracas. A l'émerveillement succède « la dernière chute » tandis que le peu de lumière qui subsiste renforce l'aspect négatif et l'obscurité du reste ; au moment où le champ de la vision se limite et où le fracas entendu se change en ce bruit irritant et mécanique, seul souvenir du voyage lunaire et mythique : comme la tunique du jockey constitue le seul souvenir de l'émerveillement des gens en chemise de nuit :

Et l'on ne vit plus rien en dehors de la
tunique sombre du vainqueur
On n'entendit plus rien que le grincement métallique
qui accompagnait chaque mouvement du cheval gagnant
et du jockey vainqueur

Une réduction finale s'est faite après l'expansion convaincante au centre du poème ; le vainqueur étant tout aussi métallique que les chevaux, la probabilité qu'une action entreprise aboutira, sera héroïque, est réduite d'autant.

« Piéton » s'ouvre par un geste aussi optimiste que celui des cavaliers qui « levaient leurs lances », mais à moitié caché :

Le vent
↓
[levant]

On croirait le champ de l'action élargi (« le mouvement s'étend ») avant de venir à la réalisation d'une certaine limitation de la vision et au refus, définitif en apparence, de l'ouverture :

On ne peut pas tout voir
...
On n'avance pas
et le temps passe
On n'arrivera pas
...
Le globe est fermé
On ne voit plus rien

Loin du champ de course céleste, si le piéton marche au-dessus de la terre, ce n'est que du somnambulisme, dans lequel il n'y a pas la moindre trace d'héroïsme ni d'action héroïque :

On dort tout en marchant
Sommeil
Il faut marcher pour que la terre tourne tout autour
du soleil

Encadrant et enfermant le centre du poème, deux vers identiques parlent de fermeture :

> Je me rappelle avoir marché le long des baraques
> fermées au bord de l'eau
> ...
> Je me rappelle avoir marché le long des baraques
> fermées au bord de l'eau

D'ailleurs la seule ouverture dans ce poème s'associe à une idée de blessure :

> Je me rappelle avoir marché contre les arbres qui saignaient
> A l'entrée des villages et des villes qui s'ouvraient
> Les portes des villes

Il est clair que toute l'action se déroule au passé, dans le souvenir du narrateur, ce poète qui est aussi piéton, et qui rentre, dit-il, à la maison. Ne bougent, finalement, dans cette atmosphère lourde, que les pages écrites qui ne servent qu'à être tournées et à faire tourner le « moteur en avant ». Sans se demander de quel moteur il s'agit ou comment la littérature peut servir à cela, on devrait au moins regarder ce piéton qui s'attarde ou qui s'immobilise (cette Pierre bien nommée, « cette pierre qui n'a pas bougé ») située au seuil de son œuvre. Reprenant le poème très peu héroïque et d'autant plus touchant, on lit pourtant dans la conclusion ces trois vers :

> Je rentre
> ...
> Et cette pierre qui n'a pas bougé
> ...
> Si tard

Côte à côte, les deux poèmes que nous avons appelés essentiels et interdépendants se répondent, voyage à voyage et réduction à réduction, ouverture double et modeste aux textes de Reverdy.

2. *Stase et arrêt*

Jamais une œuvre « a-t-elle inspiré moins de confiance à son auteur », dit Reverdy de la sienne, qui n'est, selon lui, qu'un témoin de son « impuissance ». De là l'impression de ne jamais avancer, dans ces vers qui ne défilent apparemment vers rien qu'un essoufflement général. Toutes les perceptions convergent sur un seul centre, toutes les formes aussi. Les nuances de perception ne donnent jamais le moyen de sortir de la monotonie inéluctable qui est en même temps une grande partie de la force des poèmes.

Reverdy se situe donc au pôle opposé d'un poète comme René Char, chez qui toute la série de fragments se forment en archipel, chez qui la convergence optima se réalise également en-deça et au-delà du système des contraires, se faisant remarquer dans le texte et dehors, d'une façon tantôt explicite, tantôt implicite. Car nous nous situons déjà, comme lecteurs de Reverdy, au beau milieu de ce qui a convergé dans le texte : il ne s'agit plus de chemin, mais de la chambre, il ne s'agit plus de rayonnement, mais de la concentration envoûtée, éveillée, lourde de sens. La clôture que l'on aurait pu souhaiter au poème qui serait idéalement la perfection de la forme close sur elle-même est remplacée dans ces textes par son double négatif : le fermé et le renfermé :

> Le monde se ferme sans bruit et d'un seul coup (SV, 176).

« Paysage stable » (SU, 98)

La chambre-cachot de Reverdy n'est pas la chambre double où l'on s'enferme pour mieux rêver, celle que Baudelaire connaissait aussi. Celle de Reverdy, meublée de tables inclinées, de pendules arrêtées, où toutes les lampes sont éteintes et toutes les glaces (en effet, tout mouvement et toute lumière ont disparu : « quelle vie arrêtée ») prête rarement à la rêverie : le livre est fermé, et les « rayons fermés » de même. Ce monde mis légèrement de travers est figé à l'intérieur : n'y correspondent qu'un paysage fermé et un soleil arrêté. L'ironie du poème « Paysage stable » est lourde :

> Les arbres tirent sur la chaîne
> De cette eau qui ne coule pas

Tout stagne. La parole renfermée moisit.

> Un trou dans la lumière et la porte l'encadre
> Tout est noir
> Les yeux se sont remplis d'un sombre désespoir
> On rit
> Mais la mort passe
> Dans son écharpe ténébreuse
> Et dans le sillon creux
> Une bête peureuse
> Qui se débat pour fuir
> Vers le fond du jardin où la porte est ouverte
> Mais — quelqu'un vient d'entrer
> Sans oser dire un mot
> La lune est toute gonflée d'eau
> Dans la nuit les nuages montent
> J'attends l'heure qui sonne
> Et je peux écouter
> La fin d'un autre conte

Dans la chambre où l'on développe les photographies s'opère la fusion de plusieurs concepts et quelques images dont la superposition et la métastase se développe par un travail complexe à peine perceptible, derrière les mots brefs et excessivement simples : il faudrait comparer avec ce travail, le passage examiné plus loin du conte

« Au Bord de l'ombre ». Typique de Reverdy, ce procédé est poussé ici à son point culminant. L'aspect réflexif se fait remarquer tout de suite : cet appareil photographique jamais absent de la vision transposée caractéristique de Reverdy braque son œil unique — trou noir mais agent de lumière — sur l'objet d'abord illuminé d'une manière naturelle pour que la première transposition artificielle se fasse au-delà du poème.[3] Les objets choisis se découpent sur le reste, et ainsi la coupure se situe déjà au centre du geste poétique. Afin de laisser à l'ouverture centrale l'espace qu'il lui faut, le vers court le risque d'être coupé en deux lui-même — au vers ci-dessous, à l'expression normale « que la porte encadre », la conjonction « et », totalement neutre, vient se substituer, elle qui ne lie rien, qui ne subordonne aucun concept à aucun autre :

Un trou dans la lumière et la porte l'encadre
Tout est noir

Ou alors, « tout et noir ».[4] Le champ de vision entière rentre dans la chambre noire de l'appareil, qui, lui, fait place dès le troisième vers à l'autre appareil humain, trou sombre rempli de désespoir. Cette dernière image suggère, sans le dire, les larmes, développant de cette manière une image absente qui sera plus tard la base probable du vers :

La lune est toute gonflée d'eau.

Ce deuxième trou noir conduit au « sillon creux » de la mort, lequel est juxtaposé à l'écharpe ténébreuse, rappel du désespoir. L'image s'est ainsi divisée en deux, cette scission formelle :

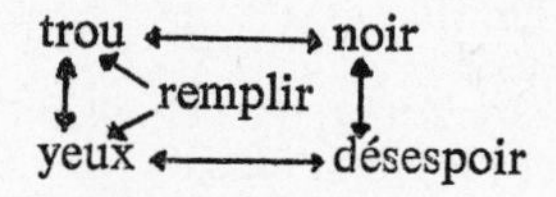

menant toujours sur le plan formel à la porte ouverte au fond du jardin ; mais l'image s'étant déjà scindée en deux, l'aspect sombre est absent de cette dernière porte. La division bi-partite elle-même prépare la voie formelle à la déflection finale, où la photographie figée dans sa prise unique, s'oublie parmi les nuages qui « montent » dans la nuit : et l'intérêt du poète qui s'écoute se détourne, selon un procédé cher au surréaliste Robert Desnos (dont un poème typique finit, par exemple, par une interrogation, suivie d'une négation : « Qu'ai-je dit ? Je n'ai rien dit ») :

Et je peux écouter
La fin d'un autre conte,

dit Reverdy, portant ailleurs son attention.

Un schéma de ce poème pourrait prendre la forme suivante :

Chambre noire
Un trou dans la lumière et la porte
Tout est noir
Les yeux se sont remplis d'un sombre désespoir
écharpe ténébreuse
sillon creux
La porte ouverte
La lune est toute gonflée d'eau
La fin d'un autre conte

3. *Fermeture - Ouverture*

« Siècle » (SV, 108-110).
« Espace au fond du couloir » (SV, 226).
« Belle Etoile » (PT, 33).

Selon un jeu de mouvement contraire et parallèle à celui de la compression/expansion et à l'éloignement/rapprochement présents dans bien des poèmes, on aperçoit un espace dynamique à l'intérieur créé au moyen d'une ouverture signalée, niée, signalée de nouveau, niée de nouveau et ainsi de suite. Puisque par définition, cette « poésie statique » n'avance pas, il n'y aura point la possibilité d'un élan vers l'extérieur, lequel sera remplacé par une sorte de rebondissement contre les murs étanches, cet élan intérieur établissant toute la résonance et tout le rythme d'alternance caractéristique du poète. Trois poèmes de 1929 manifestent le jeu de l'ouvert et du fermé dans quelques-unes de ses variantes.

« Siècle »

Voici que la première annonce de l'ouverture est préparée d'une façon assez évidente par la constellation d'images que voici :

A flammes / drapeaux de lueurs colorées
feux de terre / enfer

cet espace d'où on ne sort plus menant tout droit à son contraire :

B Les portes s'ouvrent

Ensuite reparaît l'image infernale :

A Le brasier des moines des usines

Les marteaux
↓
AB On frappe

Ce dernier geste fournissant une raison suffisante pour ouvrir les portes, bien qu'il ait pris son origine dans l'image infernale. Par une troisième séquence d'images groupées autour de la flamme (volcan, cratère) et un bref rappel de la porte (celle de l'église, celle du tribunal, soit de l'endroit où l'on condamne comme aux enfers) suivi d'une image qui paraît remplacer l'enfer dans le système verbal du poète :

A Et la nuit se resserre dans la chambre où je suis

Le fait d'être renfermé opère une sorte de resserrement du langage, une constatation finale symétrique en forme où on constate la portée psychologique de la séquence métaphorique :

A C'est fermé
Tout est fermé
Le monde a mon esprit

B ouvrir
ouvrir
Pour passer à l'angle
Et là derrière
...
Le mur de pierres

A Mais aucune clef
Aucune lumière

Le verbe « ouvrir » à l'infinitif n'a aucune force efficace contre l'esprit fermé du poète (ce mur de *pierres,* serait-ce encore une allusion mi-cachée ?) car son vœu n'y peut rien. Si on hésitait à risquer une telle lecture à propos du jugement apparaissant dans le poème (« condamné ») on n'aurait qu'à relire le vers qui commence le long poème dont on vient de voir la fin :

Je suis le plus près de celui qui parle

« Espace au fond du couloir » (SV, 226)

Ici paraît la complexité possible d'un tel thème. Déjà le titre indique le passage que l'on pourrait *traverser* dans les deux sens ; au fond du texte apparaît un certain espace — fermé ? ouvert ? Nous en approchons-nous ou nous en éloignons-nous au cours du poème ?

Le poème débute sur un temps fort, et sur un ton héroïque, rare chez Reverdy et qui de ce fait, prend du relief :

J'ai ouvert l'horizon d'un geste

Mais le geste optimiste, ou le simple regard ouvrant, est vite suivi d'une déception :

Sur la porte de la maison
La clef manque
Et la saison reste
On tourne à gauche
en attendant
Il vient un reste de raison
Autour les collines se ferment
On ne peut pas sortir

Selon l'ouverture du triangle formé par la rime : « maison, saison, raison », on ne pourrait sortir que par la marge droite, là où le poème cesse d'être. Pourtant, dans les limites du texte, on dépasse pour un instant la chambre pour retrouver l'espace littéralement naturel, au-delà des limites artificielles et domestiques : saisons, paysages, collines, horizon. Mais voilà que le désir et même le besoin humbles d'ouvrir la maison sur les alentours s'imposent — faute de clé, image prise soit au sens psychologique soit au sens d'une clef pour ouvrir le texte. On tourne — ou plutôt on voudrait tourner — l'effet verbal homonymique déterminant la pirouette du corps, juste au moment où les collines commencent à emprisonner. La trop longue attente suggère à son tour :

Cette robe rouge qui traîne

Que ce soit le coucher du soleil, selon l'imagerie traditionnelle, ou la robe de celle qui attend, « l'attendant » changé en attendante, toujours est-il que la longueur psychologique de l'attente se transforme en longueur visible de l'image telle qu'elle paraît. Le soleil se couche ? Cela inspire ou le vœu d'être chez soi, vœu frustré, ou le vœu de départ, également frustrés par l'identification maison : paysage. On était donc déjà (ou encore) à l'intérieur, en se croyant à l'extérieur. Le but de l'attente était donc autre qu'on l'avait cru.

On voudrait sortir de l'arène
Partir
Dehors
Où *tourne* l'horizon

Ainsi le dernier verbe a été suggéré lui aussi par l'image initiale, procédé qui illustre le rayonnement, verbal ou conceptuel, du seul mot-clé élément essentiel de l'économie vitale du système poétique.

Déjà, dans « Belle Etoile » (des *Poèmes en prose,* 1915), le poète se plaignait de ce manque particulièrement grave :

J'aurai peut-être perdu la clé, et tout le monde
rit autour de moi...

Laissant de côté toute implication psychologique, si apparente soit-elle, qui n'entrerait pas dans le domaine du texte, nous voyons toujours que le problème importait dès le début : seul à ne pas pouvoir ouvrir quelque chose, le poète se voit entouré de portes closes. Et c'est pour cela qu'il quitte la ville jusqu'à ce qu'il trouve une porte sans serrure et une nuit sans fenêtres, uniquement des rideaux. Comme les procédés de développement verbal qui apparaissent plus tard ne sont pas encore d'un usage évident au temps des *Poèmes en prose,* on n'y trouve pas la gamme large et complète du jeu poétique. On lira ce premier exemple comme l'élément de base avant la transformation dans la chambre noire de la poésie ultérieure. Ne pas oublier toutefois que, sans les rideaux — vœu de solitude, tendance au secret — la transformation du fait extérieur visible d'habitude (par les fenêtres) n'aurait pas lieu. A notre sens, la clé ne se trouvera, si paradoxale que cela, qu'à l'intérieur de la chambre noire. La serrure ne se trouvait jamais à l'extérieur — hypothèse justifiée par les citations faites au début de cette étude, sur la lumière, l'issue, et la lampe du lecteur.

B. — PROCÉDÉS DE LA CHAMBRE NOIRE POÉTIQUE : PROFIL AMBIGU, TRANSPOSITION

1. *Profil ambigu*

« Lendemain de saison » (MO, 348).
« La ligne des noms et des figures » (MO, 238).

« Lendemain de saison » s'ouvre par une interrogation sur la distance et le dépassement métaphysiques qui pourrait tout aussi bien être une auto-interrogation sur la puissance et la portée de toute transformation opérée par le texte :

> Irai-je plus loin que moi-même
> ...
> Aurai-je le temps...

vers qui fonctionnent comme préparation à l'expression voilée d'une ambiguïté hautement personnelle et, selon une autre lecture, métatextuelle :

> Car il y a dans mon destin plus d'une ligne
> Plus de *sens* interdits dans le *fer* de mes journées
> ...
> *L'hésitation constante de mes sens*

Lignes de la fatalité et lignes des vers, la première apparition des « sens », déchiffrés peut-être comme autant de directions qu'il ne faudrait pas prendre ou selon lesquelles il ne faudrait pas lire — si le « fer » équivaut à *faire,* et si la récurrence du « sens » représente la signification, dont la pluralité ralentit l'interprétation de la même façon que l'indécision sensuelle ralentit la progression poétique.

Nous voilà introduits au cœur des concepts et des expressions qui s'entrecoupent, par un système de *transferts* assez complexe, dont la justification textuelle est donnée par l'énoncé précédent :

> Je descends plus bas dans la mine

L'image amène ce « temps profond » et ce ciel qui « s'enfonce » mots qui soulignent la volonté de pénétrer au-dessous de l'impression de la surface enregistrée sur la lentille de l'appareil voyant. En se situant à un niveau plus profond, on se situe à un niveau verbal plus proche des phonèmes que d'habitude :

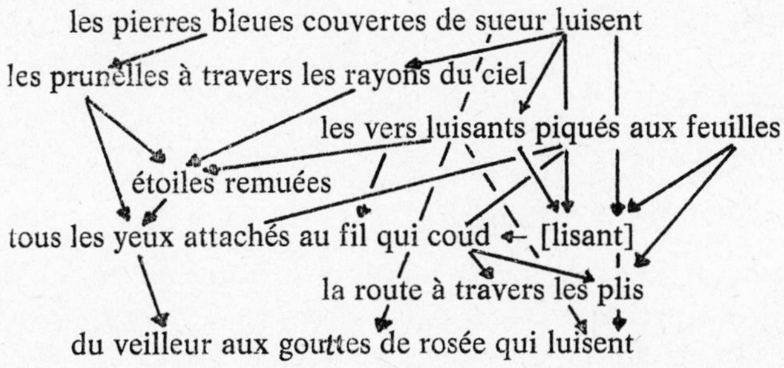

Si les feux sont responsables de la *coupure cuisante ... cuit,* ils n'aboutissent qu'à des cendres, puisque la haine qui les allume, détruit les tendresses (ou la *feue tendresse*) d'où les larmes (absentes du texte) sont quand même signalées d'une façon détournée par ce « sel de l'amour ». Le ciel durcit aussi le pain (sec et rassis) mis en juxtaposition avec le cœur sec — un procédé traduit au niveau structural dans le vers final par un chiasme.

Voilà donc un bel exemple de transposition opérée dans la chambre noire. On retrouvera ce même procédé un peu partout dans les textes de Reverdy, dont il provoque le mouvement principal, compensant facilement par cette action intérieure toute l'action extérieure niée nécessairement dans une poésie statique.

A notre avis, les poèmes les plus intéressants sont ceux ou l'ambiguïté porte sur l'observation attentive par le poète de ses propres procédés de *développement* au sens triple du terme, c'est-à-dire, sa façon de construire le poème, la façon dont le poème se développe sous les yeux du lecteur, et d'autre part, celle dont l'image finale sortira de la chambre noire ou de la salle d'opération.

Par exemple, dans le poème commenté ci-dessous, le simple mot « ligne » et le mot « caractère » travaillent par leur double sens à tout changer dans le poème pour le lecteur averti, aussi bien que les mots « noms », « figures » et surtout « signes ».

« La Ligne des noms et des figures » commence par un double sens analogue à celui qu'on retrouve dans la plupart des textes.

> Ce soir beau *caractère* du théâtre des toits
> Pas de *signe*

Ce beau caractère qui n'est pas (ou qui ne se dit pas) une caractéristique du poète n'est pas annoncé au programme, n'est pas désigné par le titre ou la date de la représentation, ne joue pas de rôle précis. Mais il

> *Figure* sur le mur trop rouge

Aurait-il la figure rouge de confusion ? ou le mur est-il rouge à la lumière du soleil mourant ? Ou s'agit-il du ciel, scène donc plus dramatique que d'habitude ? L'hésitation du lecteur entre deux interprétations complètement différentes — confusion et héroïsme — est typique :

> Le soleil perd son sang sur la neige qui fond
> Un homme le ramasse et se masque
> Faux *nom*

Les notions de la fausseté, la honte et la rougeur qui en résulte, se mélangent au moment où le poète arrivera « raide et lourd » dans sa tenue artificielle pour rejouer le rôle de l'acteur triste ; rôle auquel correspondent les événements naturels et catastrophiques :

> Le bord de la terre qui craque
> Les murs qui se défont
> La poitrine qui saigne ?
> Derrière
> Un faux plastron
> Grimace

Le costume craque, trop amidonné ; et ce bruit du craquement aurait pu se projeter sur la nature comme il se répand dans le texte et dans les textes qui l'entourent. Car nous verrons par la suite, par implication, que c'est de cette même manière que craque le bord ou le cadre du tableau, et le miroir qui est aussi le verre du vers : tout étant menacé par ce que nous pourrions appeler de la vraie fausseté. Par contre, le soleil couchant étend sa couleur rouge sur le mur, sur le visage, et sur la poitrine du poète affecté, grimaçant de cette douleur psychologique qu'est la honte. En fin de compte, il va figurer au programme « chargé » mais ce beau caractère du début — était-ce celui d'un individu ? Etait-ce une lettre qui ne désignait rien, ne figurait dans aucun titre ? — se transforme en une série de caractères peu familiers et le mot « étrangers » appliqué aux lettres aura le pouvoir verbal de changer toute la scène la plus familière en une scène répétée qui se défait de l'intérieur, réponse tristement domestiquée au « bord de la terre qui craque » et aux « murs qui se défont ».[5]

La difficulté porte aussi sur l'écriture, qui se reconnaît comme illusion, que le livre soit vu de face ou de dos, que le visage vu soit masqué, étranger ou familier, il ennuie, et il trahit :

> Le programme est chargé
> On reconnaît les noms écrits contre le mur en caractères étrangers
> Je pense
> à ton dos ridicule quand tu dors et à ton illusion de face

Dans ce contexte modifié on pourrait relire le titre « La Ligne des figures » comme « La Ligne *défigure* ». Car toute figure est menacée de déformation sous cette nouvelle lumière.

2. *Transposition*

a) *Transfert verbal*

> DERNIÈRE HEURE
> Le cavalier en rouge s'immobilise
> L'animal est un cadavre grotesque
> Un abreuvoir en encrier où les mots sont pris
> Les lèvres s'avancent
> On n'ose pas crier
> Derrière l'arbre ou la lampe
> Il s'est mis à prier
> On pourrait croire que
> celui qui le porte est plus fort
> Il faut compter tout ce qui sort
> Et le dernier rayon qui passe
> ferme la nuit
> La porte
> Le livre
> Minuit

Le jeu de ce poème que nous avons déjà commenté brièvement, est un peu différent, en ce qu'il y a deux thèmes — ceux de la chasse et de l'écriture — parallèles qui courent le long du texte, se rejoignant à la fin seulement. L'*image immobilisée* du cavalier en rouge sur son cheval nous rappelle le motif des « jockeys mécaniques » mais en plus sombre : il ne s'agit pas seulement d'aller à la chasse (costume rouge), mais aussi de mourir — le sang suggéré peut-être, éventuellement, comme celui du soleil mourant dans le poème qu'on vient d'étudier, par la couleur rouge. On voit ainsi la chaîne de suggestions suivante :

> [chasse →] costume « rouge » → [sang → mort →] « celui qui le porte ».

La première immobilisation conduit à l'image de l'encrier « où les mots sont pris » (et, par extension, à celle de l'appareil qui *prend* les images) :

> cheval → [abreuvoir →] « abreuvoir en encre »

Au centre du poème, l'image du cheval revient, à demi effacée, mais toujours *prise* dans le lacis du texte. Par une interprétation légèrement différente de celle que nous avons déjà donnée, on pourrait voir le cadavre porté par le cheval, lui-même déjà cadavre. De toute manière, la « fermeture » de la nuit et du livre se fait sentir dès le début, motivant la couleur rouge, le « livre » et la porte. Cette dernière heure, peut-être mortelle, est tout au moins dramatique.

Ou alors, c'est la couleur rouge qui colore tout le reste — s'il paraît tout à fait possible que les éléments d'un texte se reforment selon un ordre différent pour permettre le déchiffrement d'un ou de plusieurs textes sous-jacents, il paraît également possible qu'il n'y ait pas un seul *sens* selon lequel il faudrait lire un poème. Qu'on le déchiffre de haut en bas ou de bas en haut : une image peut influer sur le cours du texte qui suit son apparition, et, par contre, une image au centre du poème peut « déterminer » le reste, y compris les vers qui la précèdent. Nous croyons que les poèmes de Reverdy se construisent en diagonale, à cause de cette typographie à laquelle il tenait tant, et que cette *lecture diagonale,* permise par la position flottante des éléments, facilite, exige même la lecture dans tous les sens.

b) *Transfert phonétique*

Reverdy dit aimer les faits avant tout, mais il ajoute qu'il faut les transformer par l'écrit. Tout langage le fascine, surtout le « mécanisme du cerveau transformant le son de la voix en idées » (EV, 28). Fascination qu'il ne faut pas confondre avec une mystique, car il ne permettrait jamais que le poète soit absorbé par les mots : il demande plutôt une résonance et un écho énergique (cette « énergie incontrôlable » [EV, 17]), un effort pour résonner ensemble en consonance.

> Il n'y a pas de magie des mots, pas plus que de poésie des choses, mais la réaction aux mots, l'effet effervescent que les

> mots produisent en nous et c'est cette effervescence au contact des mots, comme d'ailleurs celle qui a lieu au contact des choses, qui constituent l'acte magique (EV, 137).

On verra au cours de cette étude de quelques manuscrits comment le travail original des corrections, des retouches, porte sur le son des mots tout aussi souvent que sur l'idée ; on tâche de voir ici l'expansion phonétique, terme par lequel nous entendons une sorte de rayonnement dans tout le texte d'un mot qui en constitue le centre, quelquefois apparent, quelquefois caché ou absent là où on s'attendrait à le trouver. Le procédé fonctionne comme le rayonnement d'une image absente ou transférée, comme on a vu. Par exemple, on se souviendra du conte « Au Bord de l'ombre », où apparaît ce marchand d'étoiles dont la silhouette est basée sur le nom absent : « Etoiles de mer » [mer → marin] et où la description finale suppose le transfert [poisson → (filet →) filet du marin], bien qu'on ne retrouve le mot « poissons » qu'au début du conte, et le mot y a été ajouté.

Le transfert purement phonétique est du même genre, sinon qu'il semble partir toujours du son et jamais de l'idée, alors que dans « Dernière heure », poème commenté ailleurs, la chaîne de suggestions met en marche une macabre psychologie :

> le cadavre → « le porte » → (l'apporte) → la porte

pour une scène explicitement justifiée, surdéterminée même, comme si elle avait été prévue.

« Droit au corps » (FV, 112-114).

Ce poème en prose, de la catégorie qu'on pourrait appeler physique-obsessionnelle, commence ainsi :

> Le bec de cane blême comme un homme qui vient de perdre définitivement la partie, se lève tout à coup dans la pénombre.

Cette phrase sera répétée mot à mot à la conclusion, avec la seule omission du mot « blême », qui se trouve donc signalé en son absence. Il marque même en cette absence littérale, la série menaçante :

> (blême) → buvard blanc → pâles tentacules

du dénouement. Ces deux portes du poème se refermeront quand le contenu sera épuisé.

La façon dont le poème a pu se dérouler est visible au moins en partie, à la surface même, où le mot accentué « sang » prépare la chaîne de ressemblance esquissée ci-dessous :

> ... la fin du précipice où coule le *sang* refroidi pour toujours *des anges* qui ont su marcher avec plus de courage au suprême supplice.
>
> Quand le *sang* a fini de couler le*s* *anges* *s'en*volent — L*es* *anges* *s*ont bl*ancs* et légers parce que le *sang* épais et lourd a fini de couler et que les ongles de ta comparaison griffent les murailles crasseuses de la nuit *c'en* est fini de toi...

Sont soulignées seulement les récurrences, y compris les récurrences phonétiques et anagrammatiques du terme « sang ». Le sang obsédant coule comme l'encre du poète, image qu'il résorbera, pour ainsi dire, dans l'imagination, tout comme le blanc buvard dans le passage ci-dessous :

> Il n'y a plus d'encre dans la nuit. Le buvard blanc de cette neige a absorbé toute cette encre qui avait écrit les signes mystérieux de mon passage dans la nuit...

Ce blanc procède de l'adjectif « blême » du début, alors que le sang contraste par sa couleur vive avec le buvard et avec l'encre, et préside à tout le texte, aussi bien dans sa présence que dans son absence.

Nous ne parlerons point des images obsessionnelles en elles-mêmes, car elles sont assez claires partout dans les textes de Reverdy, surtout dans quelques pages de *La Peau de l'homme* et quelques poèmes des *Flaques de verre* : il faut pourtant signaler que ces images rendront possible la lecture de plusieurs textes sous-jacents. Par exemple, dans ce poème, on voit un texte caché et cohérente, où les images, chères à Artaud, de la lice, de l'épée, du pal — toutes les trois présentes dans son « Enclume des forces » — se retrouvent, aussi bien que les jeux de mots et de sons sur « pousser », « vide », « vers », « verge », et ainsi de suite :

supplice		[lice]	poussée		[pousser]
épais	→	[épée]	livide	→	[vide]
pales		[pal]	convergent		[verge]

L'interprétation érotique étant facile, nous la désignons tout simplement.

c) *Transfert formel*

« Courte vie » (MO, 41) ; « Traits et figures » (PT, 21)

Le bref désespoir de ce poème en prose intitulé « Courte vie », de *Balle au bond*, se détache sur un fond de gestes polis qui s'accomplissent pour s'insérer dans un code social, brusquement vidé de sens : l'habit (mal fait), la tête qui s'incline trois fois, le genou qui se plie, la main qui se soulève — autant de gestes de marionnette — tous ces détails propres à évoquer la constatation finale :

> Moi, j'espère toujours que le ciel me pardonne,
> Mais je suis trop pressé des conseils qu'on me donne pour
> racheter mon temps.

La répétition délibérément maladroite et sans nuance : « donne ... pardonne » est un pas de plus dans la direction de ce code rigide et dépourvu de sens profond.

D'autres indications d'une construction ambivalente traitent du texte lui-même, par exemple dans les deux premières phrases :

> On va plus loin que *la ligne arrêtée* un jour au bord du sol. C'est le chemin fantasque qui *tourne* vers la voûte abritée dans un coin bleu et vert ; miracle d'un habit mal fait, *mis à l'envers, au dos d'un autre.*

En ce qui concerne la ligne arrêtée : d'abord, nous supposerons toujours que, là où on peut voir une allusion au texte même, cette interprétation est probablement justifiée, ce qui va de soi pour l'interprétation de cette ligne comme les lignes arrêtées à tout jamais sur la page d'imprimerie ; il faudrait aussi réfléchir sur un court passage d'*En vrac,* à propos de la ligne et du trait : *« Il n'y a pas un seul trait dans la nature. Le trait est l'invention de l'homme, une de ces inventions qui le délivrent et lui servent à limiter, à enchaîner ses conceptions. »* Comme le code social, donc, le trait ou la ligne serait le schéma que nous appliquons sur ce que la nature nous offre : trait de culture contre la nature, comme diraient les anthropologues, trait artificiel mais trait nécessaire pour la chambre noire et toutes les transformations qui s'y opèrent.

Un poème en prose de 1915 intitulé « Traits et figures » en offre encore un exemple :

> Des lignes, rien que des lignes, pour la commodité des bâtisses humaines.
>
> Dans ma tête, des lignes, rien que des lignes ; si je pouvais y mettre un peu d'ordre seulement.

Nous reviendrons prochainement sur la ligne comme l'une des conceptions de base de la poétique de Reverdy ; il suffit pour le moment de remarquer que les allusions au texte abondent partout, ensuite, que le chemin n'est pas droit : il tourne, tout comme le développement, lyrique pour quelque temps, ensuite brusqué, et jamais identique dans un même texte. Des virements ou des glissements — voilà les raisons principales de l'intérêt extrême des textes de Reverdy. Chez lui, même le chemin tourne.

Selon notre déchiffrement du dernier vers de « Courte Vie », le chiasme conceptuel répond à l'idée de transfert : « l'envers », « d'un autre » déjà présent :

> Le gant blanc est fané, la feuille se détache.

Dé-tacher les gants blancs, c'est encore possible : ils se fanent (au sens figuré) comme les feuilles se fanent (au sens propre), se détachant comme les feuilles se détachent de l'arbre. De plus, enlever les gants serait les détacher de la main, comme des fleurs d'une tige, ou des feuilles d'une branche. Ainsi le geste de serrer des mains (autre façon de tacher les gants et de les faner) est reconnu comme geste vide. Car le temps ne se rachète pas de cette façon, ni autrement. « Courte vie », en effet.

d) *Transfert de perspective*

« Autre face » (PT, 102)

On n'a qu'à regarder une liste des titres de Reverdy : « Autre éclairage », « Visage », « Regard », « En face », « Face à face », « De l'autre côté », « Perspective », « Spectacle des yeux » pour s'apercevoir de l'énorme importance de ce qu'on voit, de la manière dont on voit, et de la perspective selon laquelle on voit. L'insistance sur l'origine de la fascination, marquée avec le regard d'autrui, soit du lecteur, soit de l'ami ou de l'étranger du café, représente une profonde passion de la perspective modifiée. Même le titre du poème « Autre face » l'illustre, aussi bien que cet « autre œil » constamment présent. Mais « autre face » veut-il dire : autre visage ? ou autre aspect ? ou les deux ? — en fait, ces deux aspects s'entremêlent dans la juxtaposition textuelle des yeux et des yeux-lorgnons, cette dernière image suggérant une vision modifiée en même temps que l'observation *fixe* :

> Les yeux noirs ! Mais ce sont des lorgnons !
> ... Je crains d'être trop petit et trop loin.
> Moi, je suis certainement trop loin et celui qui est devant moi se rapproche.

Ce texte est extraordinaire par le changement de mesure, de taille, de perspective ; il en rayonne comme une étrangeté baroque. Mais l'indice de petitesse, de distance, reste intérieur au sentiment du personnage, dans sa chambre close. Est-il « Trop loin » pour voir ou pour être vu ? Qui regarde ? Qui regarde-t'on ? Les larmes qui coulent sur les joues :

Est-ce pour moi ou bien à cause du soleil ?

Non seulement nous ne savons pas qui pleure — est-ce le même personnage scindé en deux ? est-ce le poète ? est-ce celui qui regarde ? — mais le fait de ne pas savoir si l'origine de ces pleurs est par exemple la sympathie intérieure, ou physique et extérieure, détermine tout le cours ambigu du poème.

Il résulte de cette hésitation quant au sens, que tout regard dirigé vers la page, cette « fausse porte » ou « faux portrait » du poète, est un regard ému, car il *répond*. Cet autre regard, ou le regard d'autrui se renforce par le regard conscient du poète tourné vers cette page qui le trahit. Ce va-et-vient :

regard ⟷ portrait
lecteur ⟷ auteur

intensifie la complexité consciente du tissu textuel, devenu lui-même une « autre face », fausse ou vraie.

e) *Changement de perspective visuelle*

« Jour transparent » (MO, 10)

Parmi les exemples des textes les plus visuels, dans tous les sens du mot, « Jour transparent » de *Grande Nature,* 1925, se détache. Déjà la transparence suggère celle du verre/vers. L'image annoncée dès le début : a) « l'oiseau qui s'étale » s'étale aussi comme expression partout dans ce bref texte, appelant d'abord les deux termes « la chasse » et ensuite «l'immensité » :

l'oiseau qui s'étale
↓ ↓
la chasse immensité

b) ensuite le battement de l'aile, dans son intermittence et c) en troisième lieu, la constellation autour de la chute de l'oiseau sur lequel on a tiré, entraînant, par analogie, la tombée du jour à la place de tombée de la nuit, moins inattendue :

*L*a voi*l*e c'est le ciel plus bas
L'oiseau qui s'étale
...
La chasse
ou ce qui s'en va
Immense
Intermittent
L'air bat et se rappelle
L'aile qui va tomber

La chute de l'aile est aussi, en même temps, la chute de la lettre « L » qui ouvre le poème, ou de la lettre « l » minuscule, chute qui permet deux interprétations du poème. Car le « l », en tombant de « voile », donnerait le son de la *« voix »,* ce qui se dit, ou encore, son et orthographe restant exacts aussi : « la voie », ce qui se suit.

Cela dans la perspective de la chambre noire, mais permettant une relecture. C'est un cas exemplaire du son qui précède tout motif et toute expression. Le poème termine par encore un spectacle motivé par cette « l » et par cette voie descendante — voici que la lumière s'identifie avec la chute, la tombée du jour — de l'oiseau ainsi créé :

> Et sur le chemin le jour qui se casse
> n'est pas achevé

f) *Transfert de pronom*

« Civil » (PT, 35)

La présence constante de l'« autre œil » nécessite une modification grammaticale et psychologique selon la position de celui qui parle, soit qu'il se place à l'intérieur de l'action ou à l'extérieur, d'où il regarde comme regarderait l'autre. Le poème « Civil » a toutes les apparences de l'anecdote : papiers d'identité perdus, gendarme qui arrête le passant sur le trottoir. Mais il montre aussi une construction complexe où entrent les pronoms variables, construction probablement voulue, où le « je » se modifie en « tu » au cours d'une transition opérée au moyen du pronom collectif « nous », et sous le regard d'un autre : « on, sa » bel exercice de pronoms embrayeurs (qui rappelle la fin de « Zone » où Apollinaire fait vibrer la résonance alternative de « je », « tu », et « vous »).

> Après cette scène où *je me* suis montré...
>
> Où sont *mes* papiers et *mon* identité vieillie et la date de *ma* naissance *imprécise* ? Et, d'ailleurs, *suis-je* celui de la dernière fois ? ...
>
> La tête s'écarte de la ligne bleue qui *se* déroule... En dehors d'*elle* aucun salut possible et *l'indifférence nous perd.*
>
> Voilà pour *ta* modestie, *ton* abstinence, et *ta* faiblesse, sans cruauté...
>
> Sur le trottoir le gendarme souverain *t'*arrête d'un appel bref de *sa* question brutale.

Et à son tour la construction précise du texte imprécis fait ressortir la signification triple du titre « Civil » :

a) sens de politesse : « le ton civil » ;

b) sens de ce que n'est pas en uniforme : « en civil » ;

c) sens juridique : « l'état civil ».

A part les interprétations multiples de ce genre, il y a des implications plus graves. Car l'esprit du texte, si on peut dire, change selon la phrase : le gendarme qui croit parler « sans cruauté », tandis que c'est « sa question brutale » qui trouble le passant : ou serait-ce la même personne ?

Pour Reverdy, le passant ne se distingue peut-être pas du lecteur, et la question est troublante sur tous les plans. Quelle garantie avons-nous que le narrateur est « celui de la dernière fois » ? Combien de personnages peuplent cette scène ?

3. *Répétition*

Pour attirer l'attention sur la surface quelquefois gênante du texte, la toile compliquée et qui se veut artificielle, il n'y a pas de procédé plus efficace que la répétition, la plus grinçante possible. Rien qui la cache, rien qui l'adoucisse. Loin d'être une simple trouvaille pour mettre ou remettre en marche une parole qui hésite (nous pensons ici à la ligne que Desnos traçait sur la feuille pour commencer un dessin) l'emploi qu'en fait Reverdy peut manquer de nuance, peut même insulter l'intelligence du lecteur.

Nous n'avons qu'à regarder ces trois exemples tirés du long poème « La Liberté des mers » qui ouvre le recueil du même nom :

> *Mur*mur*es* entre les quatre *murs* aux gouttes de sang des épines, comme en allant cueillir des *mûres*... (LM, 7).
>
> Pourtant ça m'ennuierait certainement beaucoup de choquer ceux que j'aime par ce que je *sens* plus que par ce que je pense. / Je *sens* peut-être très mauvais et pense *sans* doute (LM, 8).
>
> Mais ce que je veux dire c'est qu'il ne faudrait pas avoir une confiance trop aveugle dans la *dor*ure — par exemple confondre celle du cadre et l'*or* invisible qui *dort* entre la trame de l'étoile et la peinture... (LM, 10).

On a beau dire que le premier exemple apporte un témoignage précieux de la psychologie de Reverdy, que le deuxième est centré autour de la dichotomie qu'il aperçoit entre sentiment et esprit, et que le troisième montre son attitude envers l'extérieur et l'intérieur de la chose vue, il est quand même évident que pour le poète l'intérêt phonétique est aussi important que le reste. Il ne lui déplaît pas de déplaire au lecteur.

4. *Manque ; Compression*

La meilleure description donnée par Reverdy de son travail est, à nos yeux, l'introduction qu'il a faite pour *Au Soleil du plafond.*

Il y soulève d'abord le problème de l'œuvre d'art, dont le propre serait d'émouvoir plastiquement, œuvre qui a besoin de la lumière reflétée du réel, mais qui devrait en triompher : « Nous étoufferions dans la salle sans les fenêtres qui couvrent les tableaux des reflets de la rue » (ASP, 8). Quant au poème, il se veut dense mais profond, ce qui provoque certaines difficultés assez graves, dont tout lecteur de Reverdy sera conscient : « Si vous supprimez l'air, la profondeur disparaît. Et comment faire autrement — si l'on veut créer un objet dense et mat, libre du voisinage, au lieu d'imiter l'atmosphère qui nous entoure et baigne tout ce qui se dresse en relief dans la réalité ? » (ASP, 27-8).

Mais « cette profondeur qui disparaît », ne serait-ce pas par hasard une simple illusion, qui dépendrait du point de vue ? La profondeur intérieure au texte n'a peut-être rien à voir avec un découpage dans l'espace, profil très en relief qui serait observée de l'extérieur ; les profondeurs ne nous semblent pas comparables.

En décrivant, dans le passage probablement le plus important de l'introduction, la manière d'arriver à cette densité voulue et difficile, Reverdy laisse entendre par implication que son œuvre ressemble à un mur isolé et isolant. Voilà la technique de la compression, celle qui nous frappe tout d'abord :

> Aussi bien la force, et non seulement artistique consiste-t-elle, au contraire, à ramener à une unité, sur le papier ou sur la toile, des éléments que le mouvement de la vie disperse dans la réalité, et à les unir. Elle est toujours là où l'on est arrivé à contraindre une chose énorme en une plus restreinte. La compression a des effets dynamiques que, même aujourd'hui, l'on ne saurait nier. Certaines œuvres sont comme ces cordes lâches qui pendent d'un arbre à l'autre dans le jardin et ondulent au gré du vent. On peut s'en consoler, à tort, en parlant d'ampleur. D'autres sont comme un mur isolé au milieu d'un champ. Ce n'est pas un mur qui dégage une atmosphère, mais l'air enfermé dans la disposition des murs qui en devient une, parce qu'il est différent pour toujours, de celui du dehors (ASP, 16).

C'est vers ce mur que se dirige finalement le regard du lecteur, convaincu que la poésie réside dans le rapport entre sujet et objet, neutre s'il le faut, très probablement dépourvu d'intérêt à première vue, comme le constate Reverdy ailleurs, dans le célèbre essai : « Le Poète secret et le monde extérieur. » « La poésie n'est pas dans l'objet, elle est dans le sujet.... L'Objet, c'est la réalité précise. Le passage de l'objet au sujet a lieu dans l'évanouissement de cette réalité. C'est une éclosion de rapports. »

S'apercevoir de l'éclosion de rapports derrière une surface entièrement plate selon les apparences exige déjà un autre regard, capable, comme le regard que Reverdy attribue à Matisse, d'accorder au motif réel juste la place qu'il doit occuper pour que le tableau montre une forte valeur humaine, mais « sans qu'il vienne détourner au profit de l'anecdote pittoresque, la moindre parcelle de l'émotion esthétique qui revient de plein droit tout entière à ce qui relève de l'imagination ». (« Matisse dans la lumière et le bonheur », *Dernières œuvres de Matisse* : 1950-54, vol. IX, n°s 35-6, p. 18.)

C. — L'ÉCRIT

1. *La Main*

« Saison tremblante » (MO, 158-9)

La plupart des textes de Reverdy tournent autour du problème de l'écrit, et plusieurs, autour de la main. Depuis les premiers poèmes, la présence sentie ou pressentie d'une « large main » se manifeste. C'est elle qui guide les jockeys et les chevaux mécaniques, et qui s'avance au milieu des poèmes d'une façon aussi improbable que troublante. Dans « Saison tremblante » elle hante les deux derniers vers :

> Une main qui n'est à personne
> Dans l'espace s'est arrêtée

Contrepoids efficace pour celui qui ne fait que parler, cette main venue de nulle part commande le mot, domine les images comme de loin — préfiguration d'une conversion religieuse, ou tout simplement allusion constante à la main de l'écrivain/écrivant ?

« Portrait » (MO, 216)

Avec « Portrait », il paraît opter pour cette dernière possibilité : une main ramène les petits poissons « doucement », mais le vide lui échappe toujours, et cela provoque un cri nostalgique, nostalgie qui passe par les bêtes et les couleurs, les fleurs, les feux et la lumière :

> Mais rien là-dedans ne tenait la place du vide
> La main ramenait des lignes
> à travers l'eau
> L'air
> Des lignes vivantes dans la nuit

Et encore, ces lignes-là, peut-être déterminées dans le texte par l'image des poissons (pêche à la ligne) sont en même temps une allusion très claire aux *lignes* des vers. Le texte n'est jamais loin de la pensée de Reverdy, comme on a vu : « Or cet art [le cubisme] prétend fixer l'esprit du lecteur ou du spectateur sur l'œuvre comme par une épingle. »

Quatre exemples particulièrement intéressants de cette image qui hante toute l'œuvre, sous de divers aspects, paraissent dans *La Liberté des mers*. Autour de la main s'accumulent des qualités différentes et également obsédantes, telles que le détachement ou le mouvement automatique (« Ces mains, qui n'imitaient aucun signe, ni gestes... ») :

« La Trame » (LM, 16)

> Une main d'un mouvement rythmique et sans pensée jetait ses cinq doigts vers le plafond...
> Une main détachée du bras, une main libre éclairée par la lueur du foyer...

La lumière tombe, dure, sur cette main aussi isolée que les textes du poète, la signalant comme signe. Ou bien alors, la lumière se fait plutôt à l'intérieur du signe, cette illumination intérieure renvoyant à l'image toujours implicite — hantise du poète et du lecteur — de la chambre noire. Le seul éclairage qui vaille viendra précisément de l'obscurité.

« L'Or du temps » (LM, 25)

> Une main fermée sur le vent. Les cinq doigts plissant la lumière — elle tient la pièce d'or ardente qui l'éclaire.

A la lumière plissée par force répond le feu rond de la clôture, mais cette pièce brûlante n'est que du vent.

Autour de la même image se rencontrent en s'opposant les contraires : ce qui se déploie et de ce qui supprime.

« L'Esprit dehors » (LM, 27)

> Les mains s'étirent sous la lampe où le papier blanc se déploie, où le tranchant de l'abat-jour coupe les têtes.

Autant de signes de la déformation, soit allongement, soit cicatrice, signe de la souffrance imposée, marque rose sur fond blanc, fréquemment liée au besoin de se cacher. Serait supprimée ainsi l'action honteuse, passée avec ses traces :

« Dernière marque » (LM, 31)

> Ces mains blanches... gardaient l'empreinte ancienne et rose d'une inoubliable brûlure. Les mains étaient cachées dans les cheveux défaits...

Ou bien, cette dernière souffrance peut être transférée, de façon inquiétante, à l'objet touché. De tous les passages où figure la main, ceux, cicatrisés ou toujours souffrants, où nous reconnaissons les deux thèmes associés que nous venons de signaler, celui qu'on lira ci-dessous paraît de loin le plus troublant, pénétré d'un désir flottant mais tenace, qui mêle sang et douceur :

« Compotier » (ASP, 121)

> Une main, vers les fruits dressés, s'avance et timidement, comme une abeille, les survole. Le cercle où se glissent les doigts est tendu, dessous comme un piège — puis reprennent leur vol, laissant au fond du plat une cicatrice vermeille. Une goutte de sang, de miel au bout des ongles. Entre la lumière et les dents, la trame du désir tisse la coupe aux lèvres.

L'action se fait d'autant plus menaçante qu'elle est vague, qu'elle se cache. Le compotier, image de convergence, paraît avoir été transféré à l'intérieur, où le cercle récurrent se présente comme piège. Image lumineuse, mais dont la lumière la plus cruelle unit par choc toute chose de la manière la plus atroce. La honte illumine, comme l'obscurité.

La main, finalement, cache la parole. Image où nous entendons des échos mallarméens de ce qui ouvre et de ce qui ferme la bouche, par où s'échapperait le poème :

« Eventail » (ASP, 89)

> Mais contre la tenture un visage fermé — et la main qui glisse sur la bouche — un éventail inquiet.

2. *Signe / Enseigne*

Le propre d'une obsession, c'est qu'elle se trahit partout, même là où sa présence n'aurait pas pu être prédite et ne paraît pas avoir été préparée. Reverdy est obsédé par l'extérieur du poème, et par la façon dont il cache ou désigne. Tout indique l'obsession, et le détail visible et les détails des manuscrits. D'où cette hantise de ce qui est signé, ce qui désigne, qui se fait sentir à plusieurs reprises, sous l'aspect de l'enseigne.

L'écriture se signale comme telle. De 1915 à 1937, la surface de plusieurs écrits sera semée d'écriteaux, de placards, et de signes / enseignes — ou lisibles ou indéchiffrables — dans les textes où leur message paraît bloqué, effacé même, ou perdu. Dans le poème qu'on vient d'examiner, « Civil », le problème est posé sous forme de questions rhétoriques :

> Où sont mes papiers et mon identité vieillie et la date de ma naissance imprécise

Mais cette simple question de documents en entraîne une autre, de portée plus grave :

Qui va là ?

Cette dernière question d'identité, c'est le poète qui se la pose, et on pourrait considérer que tous ses poèmes sont finalement une réponse à cette question initiale. L'identité découverte à travers le texte — après avoir été perdue dans les papiers civils — serait la seule vraie.

« Signes » (MO, 321)

Ailleurs, ce sont les « signes bleus du jour » qui sont restés pris, des enseignes qui saignent (par appel phonétique), un « trait rouge sur la vitre du réverbère », des « signes blancs » sur le « parapet du jour », ces « signes noirs sur les routes sans fin » et d'autres signes suffisants en nombre pour constituer une allusion quasi-continuelle.

La tête du poisson dans le bloc transparent
Les lettres de l'enseigne
Le mouvement des doigts
Des murs

Les questions abondent : pourquoi ces murs qui bougent ? Ce contraste si frappant entre la tête du poisson, figée dans la glace, et les doigts de l'horloge qui tournent, pour qui sont-ils des signes ? Ce moment se fait sentir comme un tremblement du sens, où le mouvement des doigts se relit comme l'indice d'un trouble d'écriture.

« Vers le ciel » (FV, 34-35)

Mais rien ne porte à croire que les signes soient nécessairement lisibles — ou que le mot soit compréhensible. Le poème en prose « Vers le ciel » peut s'interpréter comme une parodie de la façon dont le poème veut dire / veut se dire. Toutes les images sont pour ainsi dire excessives, délibérément artificielles : elles sont morbides, bizarres, même loufoques, peu « caractéristiques » du poète tel qu'on nous le présente d'habitude. Une tête « dépassait l'anse et la pique trop longue de la mort », un « rideau troué » se place sous les arbres, les nuages écartent les cheveux « d'un revers d'ongle ».

...
Mais quand le mot arriva, amené ainsi au bord du verre — ce fut une paire d'ailes qui sortit emportant la tête et la poignée.
Un autre signe.

Si on regarde de plus près, on voit que les arbres préparent ce téléphone de verre de la manière suivante :

arbre → [vert] → verre

Le mot est amené au bord du vers justement par d'autres mots, et le jeu sur « pair / impair » renforce la lecture de la transposition ultime

verre → [vers]

De toute manière, c'est le mot qui fournit les ailes qui dominent toute l'imagination préliminaire, les mots revêtant plus d'importance que la conception.

Or, les ailes — « L » — qui sortent ont peut-être été enlevées au mot *« angle »* qui précède pour donner la chaîne ci-dessous, que nous avons vue dans le poème « Jour transparent » :

ang[l]e → [ange] → aile

Dans ce cas-là, le dernier vers : « Un autre signe » ne serait pas un signe vide, mais un signe tout autre, littéralement. Cependant, le poème se referme : et un *autre signe.* Les procédés qu'on pourrait désigner du terme « sémi-automatiques », où un mot en suggère, par transfert phonétique, un autre avec un tout autre sens, sont en effet des procédés où « un autre signe », une autre main que celle du poète qui signe Pierre Reverdy.

Prenons quelques exemples — d'une importance inégale — qui tous supposent pourtant le même point de départ.

« Le Nouveau Venu des visages » (PT, 301)

Le premier texte est d'une extériorité extrême en ce sens : il s'agit d'un café, d'un nouveau venu dévisagé de tous. Pour voir l'importance fondamentale et même obsédante de cette scène, on n'a qu'à consulter le texte « Le Buveur Solitaire », de 1922. Sa carte de visite, passeport pour cette société, ne le protège pas contre les regards des habitués : là on sous-entend la timidité du poète comme personnage de ses poèmes, ces innombrables incidents où l'on se moque de lui — que ce soient ses amis ou d'autres — où l'on rit en le regardant. Les têtes se retournant sont déshumanisées, font des gestes de marionnettes, cas fréquent chez Reverdy :

C'est la girouette qui grince

tandis que le nouveau venu entre sur un rythme lyrique, différence d'attitude qui laisse entendre la subjectivité du poème :

Celui qui entre revient avec la marée montante...

Mais voilà que de la juxtaposition de la glace éteinte avec la carte de visite et la route indiquée par la girouette surgit l'image capitale de *l'enseigne effacée,* où se mêlent des motifs de route perdue, de guide *peu sûr parce que changeant* (« pivote », « girouette ») et d'obscurité (« glace éteinte », « on ne le voit pas »). Cela démontre que, au milieu de la scène la plus dépourvue de sérieux évident, se construit *l'intériorité de l'image* pleinement signifiante :

> Mais le nom de l'enseigne qui y est écrit on ne le voit pas

Si on prend l'enseigne comme le représentant matériel du signe ou de l'écrit dans tous les sens, on comprendra qu'on ne peut pas toujours la déchiffrer ; ce qui est écrit ne se fait pas toujours lire.

« Quelque part » (PT, 291-2)

Le signe peut bloquer les diverses possibilités de signification en les arrêtant, comme si la lettre elle-même limitait la voie :

> A présent la ruelle est *refermée* par la lettre majeure de l'enseigne que le vent rabattait sans cesse contre l'arbre du coin de la forêt à vendre.

Un vide se fait sentir : la forêt est abandonnée depuis longtemps. Plus loin dans le texte, le sentiment de l'abandon est intensifié par une description déprimante pleine de brouillards, d'objets déteints. Il s'en dégage une odeur de platitude morne, de vision incolore.

> *Plus bas* la terre *équivoque* s'étale. *Lentement* le regard s'aiguille vers cette région inconnue où les couleurs ont été depuis longtemps déteintes par la pluie, les brouillards et le vent.
> Poussières du désert...

Donc le signe, déjà indicateur de l'abandon (à vendre) tombe en désuétude et ne peut plus se faire voir. Son effacement, ressenti comme une souffrance — le poète s'identifiant à l'écrit, au poème qui s'écrit et s'efface — prépare la voie au coucher de soleil qui saigne (d'où la transposition [murs] → mûres qui sont rougies) et à l'idée du martyr pendu sur la croix :

> Les mûres *saignent* au bord du ciel où grimpent les *épines.* La couronne du monde enserre le front *torturé* du couchant.
> La haie vive... *flambe* et *brûle* les yeux... Mais au croisement des quatre routes, des *quatre membres* — quand *les noms sont portés sur le haut de la croix* — on trouve pour toujours, après l'angoisse du *passage le plus serré,* le plus étroit, l'arrêt du calme et du repos dans la blancheur de l'étendue et *le silence.*

Il s'agit moins d'une image-méditation d'inspiration religieuse que d'une suggestion par enchaînement, de l'abandon initial jusqu'à la blancheur du silence final, après le passage de l'écrit. Passage étroit pour le poète, qui se sent martyrisé par l'incompréhension.

Ce *crois*ement et cette *croix,* cette absence de couleur qui devient blancheur, cette angoisse du passage — car le passage du temps agit aussi sur le texte, en effaçant les lettres — ne sont autres que le passage du texte compréhensible, de la signification, pour ainsi dire, coloriée, à la blancheur, après que la parole se sera tue.

« Saveur pareille » (PT, 287)

Ce poème s'associe avec celui qu'on vient de commenter, en détail et par implications générales. L'enseigne s'annonce tout de suite et se voit détruite tout de suite après :

> En face de mon œil la corne du crochet où se suspend l'enseigne
> ...

Un pont qui « sonnait » dans le poème intitulé « Quelque part » correspond dans ce texte-ci à la sonnerie de la pendule, et la mort de la victime-poète ici anonyme (« Quelqu'un ») dans les autres poèmes (« Quelque part ») correspond au salut envisagé et engendré le long du texte par l'étape d'un double appel :

> tombent — remonter

De la même manière, la pendule qui contrôle tout d'abord ce verbe « remonter » prépare aussi l'image du pendu, et cette dernière, l'imagerie religieuse selon les apparences :

> La pendule a sonné
> L'eau a jailli du timbre
> Et si quelqu'un hésite encore à remonter
> Ce n'est pas encore l'heure
> ...
> Il reste
> Toujours avec cette fraîcheur et surtout ce goût de cendres sur la langue et contre la nuit

Ce « goût de cendres sur la langue » semblable par le ton au poème examiné à l'instant rappelle la messe et la pénitence, l'espoir du salut « contre la nuit », d'où vient très probablement le titre du poème et les images accessoires :

> goût → saveur → [sauveur]

« Un Homme fini » (MO, 50)

Mais une transformation graduelle de l'image-enseigne a lieu, et l'une de ses dernières apparitions en montre plutôt le côté subjectif, où l'allusion à l'écrit, si marquée au début, est sur le point de disparaître. L'intensification de l'impression subjective dans ce texte est produite au moyen de fortes déviations du rythme neutre et de la ligne droite qui serait plus conforme à l'état normal des choses, préliminaire à toute déformation sentimentale, à toute *déflection* cynique. Le personnage de Reverdy, toujours anonyme et souvent amer, se promène le soir, tremblant « à la première rencontre », à la merci de ses fantaisies. La première transcription d'un événement et de la réaction se formule brusquement sans trace d'aucune allusion personnelle, à part cette obsession du signe-enseigne-écrit seul créateur d'émotion. Ne subsiste que le bruit raconté et le nom de la catégorie du sentiment sans attache, sans modification. Il se présente comme détaché non seulement du personnage mais même de l'événement qui l'a produit.

> Une enseigne grince — la peur.

Ensuite, cette transcription haletante et comprimée fait place à une longue phrase bien balancée, coulante, et expansive, où se perdent les pas du personnage timide :

> Et puis, dans les couloirs sans fin, dans les champs désolés de la nuit, dans les limites sombres où se heurte l'esprit, les voix imprévues traversent les cloisons, les idées mal bâties chancellent, les cloches de la mort équivoque *résonnent*.[6]

De cette volée finale, la résonance s'étend rétrospectivement à tout le poème. Contrairement au rythme anormal et illogique — par contamination de la peur humaine — le rythme régulier des cloches et de la phrase *raisonnent,* comme l'homme n'a pas su faire, leur rythme égal opposant la tranquille menace de la mortalité et sa sagesse impitoyable, au rythme inégal craintif et humain.

Reverdy nous a invités à apporter la lampe que nous avons pour illuminer la cave de la poésie. Si les rayons sont trop faibles pour illuminer plus d'un aspect de l'enseigne à la fois, cela peut néanmoins suffire à déceler ou dévoiler le profil de quelques-unes des constructions au-dessus desquelles elle est suspendue.

3. *Cadre*

On a déjà vu l'attention exacte portée par le poète à la forme physique de ses écrits : il serait difficile de leur refuser cet aspect de tableau, cet arrangement sur la page tout aussi important que le contenu et que les sons. Les études sur les manuscrits exposées dans la dernière partie de cet essai n'ont d'autre but que de le prouver. C'est pourquoi le problème du cadre nous semble d'une importance qu'on ne pourrait pas sur-estimer. On en verra trois exemples, où Reverdy examine le tableau ou la toile, ce dessin du poème, et son insertion dans l'espace. Ses examens ont le résultat de nous rapprocher de plus en plus du centre de ses textes, *tout en nous indiquant, d'une façon insistante, la surface.*

Ce monde du texte, pris dans le piège — que ce soit le tableau, la photographie ou le miroir — se voit de toute nécessité enfermé entre ces lignes fixes. Pourtant c'est là avoir une *prise* sur le monde autre que le texte, dont celui-ci est le microcosme.

« Galeries » (MO, 125-127)

Un endroit privilégié de renfermement, la série de tableaux de la galerie (image qui remplace ici les hôpitaux de Baudelaire et de Mallarmé, ou encore, les prisons) tient le regard, empêche de partir. Portes fermées, rideaux qui limitent et qui cachent, ombres qui débordent les cadres, têtes malades qui se penchent :

> Et le rideau qui tremble
> retombe
> ...
> La vie entière est en jeu
> Constamment
> Nous passons à côté du vide élégamment
> sans tomber

La perspective sur « l'art » n'est pas familière : de là, une toute nouvelle façon de voir les choses, les textes, et les pages, entourées, encadrées de vide comme d'une marge. Les parois sont inclinées, aussi bien que le toit — seuls les cadres gardent leurs angles droits. Et, au milieu de tout :

> Le centre se déplace

Il ne reste aucun foyer sûr et central, aucun point certain pour guider l'œil. Les portraits — toujours des inconnus — nous fixent de leur regard :

> Ce sont des gens qui vous regardent
> Des cadres éclatants les gardent

Et ces gardes « derrière », comme un arrière-pays, nous indiquent la vraie direction qu'il faudrait prendre, l'espace sur lequel ouvre le poème : inquiétant :

> C'est derrière l'univers soi-même que l'on voit
> ...
> Ton regard levé vers les *étoiles*

Le regard finit quand même par se lever vers les *toiles,* mais ces toiles ont été presque entièrement absorbées dans la nature trop vaste.

« Détresse du sort » (MO, 17-18)

Dès le commencement du poème, le poète met en question le réel lui-même dans sa présence :

J'interroge la porte ouverte
sur le mur blanc
J'interroge le toit
Et le champ incliné

Et pourtant c'est en même temps le tableau qu'il questionne — cette porte ouverte sur le mur, qu'est-ce donc d'autre que le tableau ?

Et le non-encore réel, dans son absence, « donne à voir », pour citer Eluard :

seul je reste regardant en l'air
venir des véhicules pleins par des chemins
encore impénétrables

Les bateaux sombrent et les naufragés gémissent ; les voyageurs sont perdus faute de *signal* (autre allusion à l'enseigne, à ce qui désigne) :

Une suite de collines entoure le creux où l'on voit
se perdre les signaux des lampes d'équipage

Autant d'avertissements préliminaires sur le rien qui se cache derrière la toile, sur la scène qui paraîtra déserte quand le rideau de théâtre, cette autre toile, se lèvera. Le poète désespéré, ne peut que s'agripper au cadre, aux limites de la scène — « garder la rampe », bien tenir le bord du navire ou de la toile, de peur de tomber dans les abîmes :

Et si tout ce que j'ai vu m'avait trompé
S'il n'y avait rien derrière cette toile
qu'un trou vide

Mais le cadre lui aussi est menacé, rongé par le vide qui se répand. Les alentours s'épuisent ; la matière se fait vieille, elle *déteint.*

L'Arc qui entoure ce paysage sinistre et désolé
perd sa couleur
Je crois qu'il use

Dès ce moment, rien ne peut renfermer d'une façon rassurante cette absence, où les routes se perdent, ni même la recouvrir. Le sentiment du vide empoisonne le vivant. Cependant le vocabulaire reste plus ironique que profond, moins angoissant que touchant. Le geste dans tout son rayonnement artistique, poétique, héroïque, sera réduit à un léger souvenir, une simple grimace, portant sur rien :

Et laisser sur la terre un léger souvenir
Un geste de regret
Une amère grimace
Ce que j'aurai mieux fait

La touche est délicate, peu appuyée. Et au centre du poème, à ce « point culminant », le chant d'un oiseau se projette dans « le sens du vent », pour que cette parole non encore menacée triomphe et du vide, et de la grimace finale.

Car ce chant persiste. Le poème devient, de par sa force centrale, le seul contrepoids valable du vide. Peu importants l'ordre temporel des choses, le déroulement linéaire des vers, puisque le texte tourne ici en rond. C'était au centre que le trou s'annonçait — et c'est au centre que ce chant résonne.

« Fausse porte ou portrait » (PT, 219)

La glace se substitue facilement à l'appareil photographique comme porte donnant sur l'autre vision et au tableau comme ce qui encadre l'autre texte. La manière de transposer les images et d'en métamorphoser certaines sera nettement plus verbale, comme l'indique déjà la demi-répétition du titre :

*port*e → *port*rait[7]

Rien de surprenant à ce qu'un texte qui se centre sur le miroir se compose lui-même de mots reflétés, visiblement répétés, avec un autre sens ou légèrement déformés :

Dans la place qui reste là
Entre quatre lignes
Un carré où le blanc se joue
La main qui soutenait ta joue
Lune
Une figure qui s'allume

C'est peut-être la rondeur des joues qui suggère la lune ou la « face », mot suggéré aussi par la rime : « place », ensuite supprimée. Mais cela a pu donner le mot « figure », dont le vers suivant offre la description, cette figure qui s'allume — à moins que ce ne soit là un verbe : la main *lune*... en écho, *illuminé.*

La structure linéaire / carrée est renforcée par la disposition typographique et architecturale du poème. Il est évident que cette glace-portrait ou ce poème-portrait double (où le visage vu de face est doublé d'un visage oblique, vu de profil) représente tout aussi bien la page, où le blanc se joue dans les marges et entre les vers typiquement irréguliers quant à leur longueur et quant à leur forme. Le « je » conscient sert seul de guide, et la rime : « place — espace — glace » renforce l'unité de la page, unique portrait possible du poète, mais qui est cependant une fausse porte empruntée par le lecteur. Le doute plane sur cet impératif voilé :

Mais tes yeux
↓
[mets]
Je suis la lampe qui me guide
Un doigt sur la paupière humide

Reste toujours le *trait* du portrait, affiné, dans ce texte porteur du portrait, reflet « des lignes et des traits » sur la page du poème, elle-même miroir ou cadre pris entre quatre lignes. Le visage du lecteur pris dans le piège est la proie déjà d'une méditation tragique, inexorable : que le portrait soit ressemblant, et la transcendance du portrait, impossible — car c'est une « fausse porte » — n'étonnera pas le lecteur de Reverdy.

4. *Miroir*

Intimement associé avec les thèmes du cadre et de l'écrit / signe, d'abord par sa forme et ensuite par le fait que le poète s'y voit ou s'y écrit, le thème de la glace / miroir hante toute la poésie de Reverdy. Pour l'examiner, on prendra quelques textes-exemples, en vers et en prose, en commençant par un poème déjà utilisé au début pour commenter le texte-modèle :

« L'Air de glace » (FV, 22)

D'abord, il est évident que les *Flaques de verre* ou de vers sont elles-mêmes des miroirs qui se trouvent par terre, contre-partie moderne et plus humble de la source de Narcisse. « L'air de glace » — avec son deuxième sens : miroir / gel, air / ère — se situe dans la longue série de poèmes basés sur ce motif, qui répondent tous au thème central du reflet et de la *réflexion* (la méditation par écrit) et au souci de capter ce qui est vu.

Le poème s'ouvre par un demi-rappel phonétique avant de passer à une constatation de l'exacte manière qu'a la glace de reproduire en sens inverse ce qui lui est présenté et de la confusion qui s'ensuit, aggravée par la situation relative de ce qu'on voit :

> L'air avenant, en revenant — ce visage rit *à l'envers*
>
> ...
>
> On ne sait pas si la barque avance ou le bois d'à côté — en tout cas c'est l'eau et la rive, c'est déjà la confusion profonde de nos noms.

Ce texte « en prose poétique » rit de ce qui est « en-vers » par suggestion phonétique. En face du texte, nous restons dans le paysage double, où les « vagues transparentes » de la glace ont l'effet de tout répéter : « nos noms » et notre visage, les poissons et les figures. La photographie est réussie.

> *l'eau* est prise, les lignes des rives sont prises, et rien ne bouge plus.

Cette « eau » (ô) qui est prise, nous la retrouverons prochainement. Elle s'accorde doublement avec ce mot « bois » en ses deux sens, comme deux éléments de la nature : eau et forêt — mais aussi l'eau qui boit. Dans la conclusion de ce poème gelé, où tout évoque la glace, l'immobilité définitive et infligée de ce qui est capté — impossible de ne pas revoir ici ce lac mallarméen et le vers-signe capté — donne toute sa force au verbe *prendre*. Car le reflet est changé en image (« ne bougez plus ») : c'est à cela que menait tout le mouvement du poème, son tremblement de vagues et de remous cristallin, à ce moment de stase où tout est *pris*, où toute parole se change en statue.

« Carrés » (PT, 67) ; « O » (PT, 69)

Quelques poèmes extraordinaires à plusieurs points de vue révèlent le masque, l'œil, le miroir, et la fausseté que nous verrons plus loin (par exemple dans le poème « Fausse porte »), et les montrent sous une forme visuelle qui pourrait nous rappeler les dessins enfantins de corps humain. « Carrés » montre un large bloc pour la tête, deux très étroits pour le cou, un large bloc pour les bras de chaque côté, un au centre pour le tronc et deux blocs encore, un de chaque côté pour les jambes, tout cela formant un portrait de l'homme qui se regarde dans le texte qui lui ressemble :

Tout au début du poème la constellation de thèmes s'annonce :

> Le masque honteux cachait ses dents. Un autre œil voyait qu'elles étaient fausses.

Comme un autre visage qui paraîtrait soudain — ou un masque — le changement subit d'aspect ou de sens, impliqué par cet autre œil, semble une obsession du regard lui-même vu à la surface visible de certains poèmes, s'y insérant aussi comme interrogation profonde, comme l'indice d'une conscience double et redoublée :

> Je passe en m'engouffrant, je m'engouffre en passant. Quel gouffre !

Les oiseaux chantent faux dans ce poème, les nuages même se changent en glace, et la surface de ce texte très visuel attire à elle toute l'attention :

De la reliure de tes lèvres de la reliure de tes volets de la reliure de nos mains.

Lire et relire, c'est cela que suggère *la reliure* du livre, comme une relecture, mais c'est tout autant la lecture des mains que des textes, l'interrogation portant sur le destin personnel autant que sur la lettre ou les lettres.

La phrase qui suit le passage qu'on vient de citer annonce, d'une façon subreptice, le poème « O » qui suit ces « Carrés » :

O peut-être plus facile.

La forme « O », celle de l'œil, du mot « oser », de l'eau, de la bouche, et de la lune, toutes images présentes ou explicitement ou par implication dans ce poème, enclôt plusieurs poèmes dans cette série des poèmes-miroir. Elle est ovale ou ronde, fait penser à ces miroirs de forme ovale ou à des cadres de toiles cubistes, à l'ellipse qui se forme sur un verre *d'eau.* Ici, c'est aussi un numéro qui tombe « à l'eau », un zéro pour faire voir la nullité du miroir, image vide par excellence.

On reviendra sur l'image du trou prochainement. Ici, le motif est simple : un visage lunaire du genre Laforgue, s'aperçoit lui-même arrêté dans toutes les glaces, se voyant déjà comme conscience extériorisée du soi, un *autre* regard.

Comme c'est souvent le cas, la structure formelle renforce le motif du reflet ; ce visage double s'observe de travers au moyen de cet autre œil, et quelques poèmes, comme « Carrés », se scindent en deux pour qu'un côté regarde l'autre. Pour voir ce poème, il faudrait écarter tout autre élément et n'en garder que les reflets structurants pour remarquer l'échafaudage essentiel du poème sous la reliure d'apparence collage-cubiste en carrés juxtaposés. Au centre du texte, l'aspect géométrique et référentiel est parodié par un des carrés avec ses images typiquement « cubistes » :

Le rhum est excellent
la pipe est amère...

Ci-dessous un schéma approximatif du collage carré réduit à ses premiers éléments thématiques et formels, tous soulignés :

Le masque honteux cachait ses dents.
Un autre œil voyait qu'elles étaient
fausses. Où cela se *passe-t-il* ? Et
*quan*d ? Il est *seul.* ...

Le bourreau amateur pleurait et *sa*

Je passe en m'engouffrant, je m'engouffre en passant. Quel gouffre !
La tête qui tournait autour de moi a disparu. — Les Oiseaux chantaient

figure était un masque. On l'avait importé de Chine et il ne savait plus être cruel.

De la *reliure* de tes lèvres de la *reliure* de tes volets de la *reliure* de nos mains. *O peut-être plus facile* Sur le balcon de bois elle montait la garde en chemise *éclatante*.

derrière la fenêtre ; ils chantaient *faux* et n'étaient *pas* en plumes *véritables*.

...

Après les premiers pas sur les pointes il avait pris son vol. Les premiers nuages l'*arrêtent*. Ce sont des *glaces*. Et là, où il retrouvait notre monde sans la chair, il se crut au ciel.

Ainsi se lient ou se lisent les carrés en leur cadre (relecture) consciemment formel. Dans le bref méta-texte « Traits et figures », les seuls carrés sont ceux, matériels, des fenêtres vues de l'extérieur, pour ainsi dire, d'une façon purement descriptive ; mais voici que les glaces / fenêtres ouvrent sur la matière des poèmes mêmes dans leur construction fondamentale.

Tout est artificiel dès les premiers pas dans ce *passage* : masques et figures dans les deux sens du mot, par contraste éclatant avec cette eau, et « o » tellement plus facile. Oeils et pointes du pied, glaces du ciel qui se font miroirs pour arrêter les pas dans le piège de la conscience de soi, de la fausseté : reliure et relecture, « ô plus facile ». La chemise éclatante ici se fait la chemise d'un volume non à la portée de toutes les mains.

III. — « DE L'AUTRE COTÉ »

A. — PROCÉDÉS NÉGATEURS ET DÉFORMANTS

1. *Disproportion, Déplacement, Déroute*

Maintenant on passe de « l'autre côté du miroir », comme aurait dit Breton, du côté où tout geste se change en son contraire noir. Les effets de l'attitude poétique qui est celle de Reverdy sont apparents, indiscutables. On n'a qu'à étudier les procédés par lesquels il construit cet univers déformé et déformant, dont pourtant le caractère négatif ne travaille qu'à rehausser l'éclat poétique.

Pour voir ces procédés caractéristiques de Reverdy en toute clarté, il convient d'éliminer d'abord les clichés ou formules, aussi bien que les observations simplement naturelles. Par exemple, pour reprendre le thème qu'on vient d'examiner — les déformations remarquées dans la glace ou dans l'eau, ou même l'idée traditionnelle de l'eau gouffre préparent, comme on vient de le voir, des séries telles que « je m'engouffre dans le gouffre » quand il s'agit d'une glace :

glace → [eau] → gouffre → je m'engouffre

Or à certains moments, on ne remarque que le retournement-renversement produit par la juxtaposition : sujet / glace ou eau, renversement qu'on pourrait exprimer plus simplement par la formule :

le voir ⟷ le vu.

Un transfert sujet ⟷ objet a lieu, par lequel s'établit un court-circuit entre l'œil et le monde. (On pense ici au célèbre poème renversé de Théophile de Viau, où tous les éléments normaux sont retournés.) Comparez ces lignes de Reverdy dans un de ses premiers poèmes qui se déclare éphémère par son titre, car la notion de l'étape souligne le passage, le contraire de ce qui est durable :

« Etape » (PT, 240)

Dans l'univers refait qui tourne devant toi
Dans une minute rapide

L'arbre d'en face s'est brisé
Le talus grimpe sur la rive
Tout le monde s'est incliné
Il faut aller plus lentement
A cause des plans qui se croisent

Deux détails nous empêchent de croire que le spectacle ainsi déformé (ou mieux, anti-naturel, retourné) restera tel : d'abord le titre, et ensuite l'image qui précède les vers cités, celle d'un fleuve où se meuvent et se reflètent les souvenirs. Celui qui parle se protège ainsi, consciemment ou inconsciemment, contre l'accusation d'avoir exagéré. Cependant il s'agit toujours de nous détourner de notre prison habituelle et de ne pas permettre le laisser-aller de la lecture facile. Prenons un poème dont le titre indique l'intention *d'écart* :

« Déroute » (MO, 329)

Je ne préface pas la ligne
La ligne du verre à la main
Au-dessous de la bouche saigne
Le cercle trop fermé sous les accents de l'œil.

Le début du poème sert d'exemple excessif, où le déplacement-hallucination touche de plus près à l'écriture qu'ailleurs, apportant une très légère modification à une lecture déjà minée par la suggestion d'une ivresse poétique :

verre à la main
→ *vers* à la main
ligne à la main

D'autres traces restent de l'écriture consciente de son apparence et de son rôle : à part la ligne, le vers et la main, on voit le signe, les accents, la bouche et l'œil. Si le poète ne faisait que décrire une déformation traditionnelle par l'élément liquide ou par la surface éclairante et pourtant trahissante, nous n'y prendrions pas grand intérêt. Mais du moment qu'il s'agit de *l'écrit obsédant,* ou de la *métaécriture,* catégorie sous laquelle nous rangeons les poèmes les plus fascinants de Reverdy, les traces sont tout autres que traditionnelles, marquant visiblement le lieu par lequel la conscience métacritique a passé.

Résumons : pour servir d'objet d'étude spécifique à notre projet, il faudra que le normal ici soit poussé plus loin que le normal, que le naturel déformé devienne matière d'écrit, que la description de la déformation soit à son tour déformée pour que le texte commence à entrer dans notre propos.

« L'Ame et le corps superposés » (FV, 61)

> Dans la chambre l'esprit malade et le corps *allongé.*
> La flamme *perce.*
> ...
> Mais dans l'ovale qui tient le visage tout entier immobile et la mémoire *inquiète, trouée, usée* par les efforts *retenus* à jamais — on a précisément la notion du temps qui se remet, de celui qui arrive et la limite de nos mouvements *en désordre* dans cet espace étroit déjà renouvelé.

Ce poème, où nous soulignons les termes-clé, s'ouvre par la maladie qui perce et par « les désespoirs » mis « en travers » une route barrée ; c'est évidemment « la dernière heure ». Le vide et le silence menaçants du « gouffre noir, gelé », celui de la glace — cette glace ovale si différente et cependant apparentée à la lucarne ovale, dans laquelle on sent « la possibilité de toutes les morsures », — se présente comme le lieu gelé de la mort / reflet de la retention morbide, morsure déformante, et pourtant, au même instant, comme une limite entre le désordre et le renouveau. Miroir reflétant le paysage réjoui du mur opposé avec ses rayons de soleil et ses « couleurs détachées » se découpant contre « un ciel trop chargé », voici qu'une déformation sérieuse se fait la source de la reviviscence. Quand ce texte, qui s'introduit dans la lignée déformante par le moyen ou l'excuse de la maladie, se clôt par le terme « renouvelé », l'effet en est frappant, en ce que la mort du texte mourant signale l'espace libre, pour celui qui viendra.

« En Marchant à côté de la mort » (FV, 106)

Voici le même sujet, mais où toutes les transpositions et assimilations diffèrent. Il s'agit d'abord non de la maladie mais de la perte, à la fois psychologique et formelle ou métaphysique :

> J'ai perdu ce *caractère blanc* qui dirigeait les toits. L'esprit des toits, les girouettes — et la pointe des doigts.
> En même temps nous avons perdu *toutes les lignes* qui reliaient les étoiles du ciel et le ciel à la terre. Les lignes de métal.

Toute attache perdue, on flotte. Dans la glace de l'eau on voit « les hommes déformés » qui avancent, qui sont ramenés ou pliés par le courant. Mais le poète interrompt la description pour nous avertir de ne pas la prendre trop au sérieux :

> Ce ne sont pourtant que des images. Les images des hommes déformées dans un grand courant d'air ou un autre mirage.
> Et pas à pas — ils avancent plus près — contre le bord du cadre au dur visage.

Les déformations se compliquent. Car si ce sont les images (des hommes déformés) qui sont déformées, d'abord par le courant d'air, ou d'eau ou d'un autre texte-mirage, ce sont les hommes, non leurs images, qui s'avancent dans les dernières lignes près du bord de l'eau-miroir qui est en même temps la page du texte, ce « cadre au dur visage ».

En fin de compte, le texte déforme plus sûrement qu'aucun élément naturel. En d'autres termes, et selon l'optique adoptée dans ces pages, il s'agit de la transformation poétique.

« L'Eau du jour » (FV, 55)

Un autre texte de la série des déformations montre en apparence une scène toute naturelle d'une lumière éclatante, où « des yeux clignent », tant le soleil est brillant. Par un chemin familier à Reverdy, l'image (ronde) des yeux noirs conduit directement aux pierres (rondes) dans l'eau. Jusque là, rien que de platement normal. Mais alors :

> Un œil vient jusqu'au bord, dépasse d'épiderme qui frissonne et s'étend en ronds de vagues — il vient des couches sombres des racines.
> Il éclate.
> Une lame de chair brille...
> ...
> Le jour qui se défend.

L'inquiétante identification : [pierre ronde = œil] s'est opérée sous la surface (de l'eau et du texte) ; cet « épiderme qui frissonne » et ces « couches sombres » suffisent pour indiquer la violence infligée et soufferte, ainsi que la profondeur de motivation. L'œil éclate — la lame brille — et la dernière syllabe *fend* en deux, rétrospectivement, ce texte agent de violence. L'œil fendu du *Chien andalou* n'est pas plus choquant que cette subtile attaque contre notre sensibilité faussement tranquillisée par le début calme et ensoleillé. Encore une fois, *c'est le texte qui se déforme* plutôt que la chose ne se déforme dans le texte.

Il arrive que la déformation sérieuse du visage soit interrogée d'une manière percutante.

« Lumière dure » (FV, 77)

> Si les yeux sont ouverts on se demande d'où vient et où va ce regard et l'ombre de derrière a l'air d'une autre tête, le cou est quelquefois trop long, les épaules sont trop étroites et toute l'amertume d'une vie difficile s'accumule de la lèvre au menton.

Ce cruel regard lucide contraste avec celui d'un aveugle « là comme une plante » (sous-entendu, comme celui d'un innocent). Ces deux déformations commencent à peser de leur lourd poids psychologique sur le texte lui-même, qui s'étire et s'allonge en une répétition agaçante, avec l'excuse implicite de ressembler à :

> ... beaucoup de femmes qui attendent. Les membres le long du corps s'allongent, les ombres dans l'ombre s'allongent, le visage immobile commence à s'allonger.

Cet allongement ressemble à la déformation frappante et émouvante des corps de femme chez Le Parmesan ou Le Greco, c'est-à-dire, dans le maniérisme aussi angoissant qu'élégant.

Des « êtres dépaysés », ces femmes. Cette écriture, fortement marquée par son unique obsession, est aussi dépaysée. La scène finale est hallucinante, épique dans sa volonté d'exagération :

> ... Fantômes de l'esprit, êtres dépaysés, tourbillons que le vent soulève et qui se cachent, c'est devant un mur sans fin, trop haut, trop éclairé, que se tient cette femme perdue qui s'enveloppe de ses deux mains, de ses deux bras démesurés.

Dans sa démesure même, cette page ressemble au mur « sans fin, trop haut, trop éclairé ». Elle fait mal aux yeux.

Aucune perspective n'étant constante, aucun point de repère n'est valable à tout moment, ni à l'extérieur (au cadre), ni à l'intérieur (à ce qu'entoure le cadre). L'objet de la vision change, et l'œil du spectateur lecteur se modifie avec cet objet toujours changeant. Reverdy, poète baroque moderne :

> La pointe se déplace (SV, 31)
>
> Le centre se déplace (SV, 106)

Chose plus grave, le déplacement même se déplace, quand au lieu des aiguilles de l'horloge,

> Le cadran se déplace (MO, 29)

Répétons-le : on passerait assez vite sur les bizarreries de la vision, si puissantes soient-elles, si elles ne laissaient pas de marques sur le texte. Une transposition familière aux amateurs de poésie surréaliste consiste à faire voir par les yeux d'autrui, de rapprocher et même d'identifier les deux regards, comme fait Paul Eluard, par exemple, ou bien Benjamin Péret, qui « voit » par les seins de la femme aimée. On aperçoit la même sorte de *vision commune* ou *transposée* chez Reverdy, par exemple (FV, 44) :

> Et je marche à l'aventure dans la forêt creuse, tes yeux au fond, tes cheveux et les orbites relevés.

Mais il y a ici également la destruction (ou plutôt une pré-destruction) du mythe que serait celui d'une vision à deux.

« Dehors » (MO, 473)

Masque qui pleure entre deux branches d'arbre
Un soit de carnaval éteint
des larmes coulaient de ses paupières fixes
larmes de rire et d'amertume et de regrets
Minuit
tout est repeint

Dans ce poème où l'on entend des échos du pitre de Mallarmé, il n'est pas difficile de reconnaître dans l'image des larmes coulant par les paupières d'un masque, le mélange de la pitié de soi et de la moquerie caractéristique du poète. Cette image et la suggestion qui la suit, d'un *décor théâtral repeint,* prépare une vision frappante et hautement déformante :

Et je regarde par les trous de ton nez passer la lune

Evidemment, pour qu'on regarde par le nez, il faudrait que le masque soit *placé plus haut* que l'homme qui le regarde. De là, l'ironie qu'on sent sous-tendre tout le poème — ce sont là quelques-uns de ces textes qu'on a dit décalés par rapport aux autres. Ils ne sont pas « ressemblants », au sens où Eluard emploie ce mot.

Prenons un autre exemple du même genre, mais écrit avant que cette ironie à ses propres dépens ne soit devenue si blessante.

« Troupeau de file tout seul » (PT, 379-80)

L'humour plane déjà sur le titre. Celui qui est obsédé par la parole se présente comme un malade verbal, sans le savoir :

Je suis dehors
les mots gonflant ma tête
↓
[maux]

Il se trouve dans un paysage intentionnellement ultra-romantique par ses thèmes : le bec de gaz, le poète seul dehors (d'où le titre), et la lune sympathique :

la lune qui descend pour voir
s'est arrêtée
Et face à face je regarde au fond de l'œil
Ce qui se passe

Une proportion romantique et humoristique transparaît dans ce tête-à-tête de deux visages ronds, dont le plus céleste se transforme en un autre objet rond, un œil, ou, si l'on préfère citer Reverdy, « un autre œil ». Le théâtre prend ici une mesure tout humaine : on regarde dans les yeux de l'autre.

« La Garde monte » (PT, 276)

La disproportion dans le passage ci-dessous se fait sentir, elle aussi, par rapport à une image traditionnelle, celle du héros. De l'homme universel le profil surprend :

> L'homme est plus grand que la maison et presque même que le chambranle de la porte où il appuie toute sa force mais seulement l'épaule et le talon.

Encore une fois, le titre, avec la transposition « La garde monte » pour l'expression « monter garde » indique le sens que prendront les mots moqueurs qu'on vient de citer. Un Hercule ce poète ; ou serait-ce un simple lourdaud ? Ou tout juste un homme qui s'appuie contre une porte, d'un talon aussi peu héroïque que celui d'Achille ? Ou un ange qui peut partir vite, qui s'appuie non pas avec tout son corps ? La multiplicité d'interprétations ouvre le poème.

2. *Déséquilibre, Décoloration*

« Paysage Stable » (MO, 117)

Dans les *Sources du vent,* le poème « Paysage Stable » semblerait offrir, par exception, une apparence de continuité. Son titre n'est pourtant qu'ironique, car tout glisse à l'oblique :

> Au coin du ciel
> Les mêmes marques
> Et la trace des doigts
> La couleur lie de vin
> Et les têtes à droite
> On danse
> 4 et 3
> Le parquet penche un peu
> Le mur s'incline sous le poids

Le paysage est incliné, mais ce qui est pire, le poème est marqué aussi par des indices d'une horrible stagnation : et partout les traces de l'écriture restent comme des souillures immondes :

> Les arbres tirent sur la chaîne
> De cette eau qui ne coule pas.

Déjà la terreur du même sillonne le poème.

Cependant, tout de suite après, dans le poème suivant, ce paysage « bascule » (comme l'indique le titre).

« Bascule » (MO, 118)

Quelque chose « passe », au moins, et la certitude d'une destruction à venir crée une vive angoisse.

On attend que tout se défasse

Une semblable angoisse se fait souvent sentir : quelquefois, « les murs se défont »... La construction du texte ne tient pas debout. La destruction consciente attaque comme une lèpre, le mur autour. Parfois, le cours naturel ou, pour ainsi dire, automatique des choses, se renverse :

Les roues tournent en sens inverse

et, dans un autre poème, « une étoile bleue là-haut tourne à l'envers » (PT, 231). Ayant déjà associé ces pierres bleues avec des yeux bleus ailleurs, nous lisons celui-ci avec d'autant plus d'horreur. Encore une fois, dans le titre « Vers la mer », dans ces deux citations et dans les cas où s'observe le renversement, le mot contient en lui-même ce rappel phonétique essentiel du vers. Car la poésie, surtout celle de Reverdy, renverse les rapports.

L'indécision pourrait impliquer une certaine liberté, comme dans le cas où l'on ne sait pas « si l'on tourne à droite ou à l'envers ». L'incertitude touchant l'état normal peut aussi s'exprimer au sommet formel du texte, sommet qui s'identifie ainsi avec le centre de la perception déroutée. Tout cela peut conférer au poème un ton nettement pessimiste.

« Main-Morte » (MO, 390)

A travers les chemins qui ne sont tracés qu'en arrière
...
Contre le courant rapide de nos forces
La chaleur qui se perd
Le sang se décolore

Pour notre propos, plus intéressants sont les poèmes qu'on pourrait appeler « inversés » dans leur construction ou leur thème : la trame est faite d'actions anormales ou dévoyées de la ligne droite. Le décor, instable, est fait de murs qui s'inclinent, de toits et de tables qui se penchent, de paysages instables, d'objets qui pendent à des angles troublants. Ces poèmes qui sont situés comme le côté oblique d'un angle correspondent à la volonté d'obliquité étudiée plus loin dans les manuscrits et dans la typographie — il n'est guère possible de comprendre les textes ni même d'entrer dans l'univers avant de s'être aperçu de cette tendance qu'a Reverdy de tout placer obliquement, *à un autre angle.*

Car il n'est pas seulement question des objets faits par et pour les hommes. Dans la nature aussi, les obliques se multiplient : ce ne sont que paysages, pierres, rayons, ailes qui s'inclinent. Un lac penche aussi bien qu'un arbre, un réservoir pend. L'homme qui se trouve dans ce décor domestique ou naturel situé de travers, lui aussi penche, sa tête pend, son regard se fait nécessairement oblique.

Mais peu à peu un doute s'insinue dans ce long cheminement parmi les textes : si le parquet penche un peu, et bien *est-ce vraiment le regard du poète qui est oblique, ne serait-ce pas plutôt celui du lecteur* ? Si les choses ne restent plus dans les cadres d'un paysage stable, rectiligne, celui d'un poète certain de son monde, on découvre, ou plutôt on est obligé de voir « L'autre côté du monde », celui où on lit les lettres, l'écriture à l'envers. Le déséquilibre est commun à tout cet univers qui tangue, où les choses ne se voient plus que de profil, où les angles saillent d'une façon plus qu'insolite, troublante.

Bien des fois, l'accent est placé nettement sur l'unique objet qui paraisse retenir ce monde déséquilibré au bord d'une chute irrémédiable : un clou retient la pente, ou quelques minces lignes tiennent le paysage debout. Que l'angle du regard s'altère tant soit peu, et

> On entendrait le passage d'un niveau à l'autre, d'un cercle à l'autre (FV, 52).

Ce passage n'a rien de léger ; car à tout moment, le tout risque de s'écrouler.

> Et tout change de place (PT, 360)

Nous savons depuis les expériences de la Renaissance, bien sûr, que le point de vue d'un spectateur ne conviendra pas à tous nécessairement. Cela implique, dans notre monde « rompu » et « déformant », que tout changera pour nous, que tout s'écroulera pour nous à tout jamais.

3. *Dispersion, Décomposition, Dissolution*

Toute l'attitude de Reverdy envers les images et envers le système du discours même est fortement marquée par les valeurs négatives. A toutes ces catégories marquées par les préfixes *de* ou *dis* — dont on a déjà vu quelques-unes — on pourrait ajouter des catégories telles que la décoloration, le détachement, la déflection, le dénouement au sens littéral. Mais le nombre de leurs apparitions est assez élevé, sans compter les variations. S'il s'agissait d'un seul terme, on dirait que le poète s'attachait particulièrement à ce mot-là sans en déduire grand chose. Mais étant donné la profusion extraordinaire de cette manière d'écrire au négatif, il n'est pas possible d'y penser autrement que comme à quelque caractéristique générale très révélatrice. L'univers se décompose-t-il devant les yeux du spectateur-poète, tandis qu'il est en train de lire ? Dans ce cas, il y aurait peut-être quand même des référents extérieurs aux textes qui seraient exempts de cette décomposition générale. Par contre, l'inquiétude qui porte sur la lettre ici s'étend à ce qui entoure les confins du texte ; quand celui-ci se défait, tout le reste est atteint.

Par une technique très différente de celle de Robert Desnos, et pourtant qui a le même effet, le texte (et le monde fait texte) se dissout par l'action de la main terriblement efficace du poète.[10] Les marques fréquentes de cette dissolution s'inscrivent directement dans le tissu verbal qui se voit ainsi déchiré non seulement dans quelques régions bien visibles, mais au plus profond, là où le mal *travaille* aussi sûrement que chez Artaud. Le texte de Reverdy, fissure se faisant...

De tout ce travail destructeur intérieur et subtil, on pourrait tout ignorer à part les détails extérieurs qui en témoignent brutalement, tels que les rideaux déchirés, ce décor en haillons. Même la distance se déchire. On ne peut se fier à aucune substance ni à aucune mesure qui resterait identique. N'en persistent que les chemins détournés, en déroute, que les fils dénoués, que les tissus déteints. Si l'être est disséminé, ce n'est pas un élargissement ni une accession à l'universel : il n'y a rien à sauver de ce gâchis. Les figures décomposées, les membres dispersés comme les membres de la phrase de Reverdy sont des figures et des phrases *démaillées*. Toutes les substances sont en miettes. Ce qui est fait sera défait, ce qui a été noué, péniblement lors de l'acheminement du poème se dénoue. Les éléments se détachent les uns des autres comme si aucune cohésion ne les retenait.

Pour voir de près les effets de cette manière de défaire le texte de l'intérieur, on pourrait regarder un poème de 1922 et un deuxième de 1929.

« Le Flot berceur » (PT, 359) ; « L'Ombre » (MO, 232)

Dans le premier, on voit de près et tout de suite l'identification entre le paysage regardé et le texte, où il s'agit, selon toute apparence, des flots de la mer. Mais il est clairement dit :

> Quand *les feuillets* de la mer *se replient page par page*

de sorte que tout ce qui s'applique aux vagues s'applique aussi à l'écriture, à ses feuilles et à ses plis :

> Le marais sec déteint.

Or ce prélude désolant fixe le ton pour le reste du poème, sec et sans couleur. Même les nuages sècheront ensuite, et un cheval, *décharné,* sera le seul survivant pendant que le « feu grille l'atmosphère ». Sécheresse, famine. Semblable à ces visages qui flottent et à ces objets souvent détachés, sans racine, un homme seul à la fin tiendra, tout en riant, sa tête détachée. Qu'on ne s'y trompe pas : ce n'est pas la vision d'un autre Saint-Denis, mais l'image plus désolante et sans aucun rappel de miracle du texte suicidé, scindée en deux par la force automatiquement destructrice de tout langage reverdyien.

Par contre, dans « L'Ombre », la silhouette décapitée apparaît tout d'abord, dans un profil qui « s'abat » et une porte qui « tranche le mot » jusqu'à la décomposition, celle du visage, du corps, de la langue qui travaille. Il faut insister sur le fait que le meurtre ou le suicide est verbal, donc grave. Le mot final est lui-même centré sur un mot resté « pendu » comme un fruit ; quand il sera arraché par une main, des gouttes de sang en découleront, prouvant ainsi que la violence pratiquée par poète et lecteur, est acceptée par tous les deux qui ne font plus ainsi qu'un seul meurtrier. Par là toute notion du poème qui durerait se voit refusée brutalement.

> Un profit s'abat
> silhouette décapitée
> La porte tranche le mot
> le corps
> ta figure décomposée

Cette poétique de la décomposition touche à la personnalité aussi bien qu'au texte, car « ta figure décomposée » est double.

Mais les mouvements de l'âme se passent à l'intérieur — les rapports du texte de Reverdy aussi.

4. *Distance*

Dans le cas de Reverdy, il n'y a que le poète qui puisse dire :

> Je suis le plus près de celui qui parle (MO, 128).

Illustration capitale de l'esprit de négation, l'accent placé dans ces textes sur la distance et sur tous les procédés de distanciation pour séparer le lecteur du poète :

> Et je suis si loin du régime animal (FV, 36).

Par exemple, dans le poème suivant, le titre pourrait s'interpréter de façon ironique, étant donné qu'il ne s'agit que de la distance formelle, une rupture sérieuse entre le titre et ce qui le suit.

« Près de la route et du petit pont » (PT, 279)

La plainte du poète, sur la rapidité de l'envol du temps et le peu de permanence des traces et des mesures de l'homme, aurait pu sembler banale : sans les images insolites, violentes même :

> Hélas que tout est loin
> Les numéros s'en vont
> Sur la planche où saignait un nom de quelques lettres
> Mercredi
> Vent crevé
> Le trou perce la date
> Et l'on passe à travers sans s'en apercevoir

Un nom en lettres de couleur rouge suffit pour préparer l'image du sang : planche, lettres, trou, passage à travers, tout rappelle le livre, sa fabrication et sa lecture mallarméenne et autre. Mais la conclusion du poème est marquée d'une certaine ambiguïté :

> jamais sur le chemin de trace ou de revers
> Un homme qui se hâte

Selon la façon de lire, il y a au moins trois sens possibles : 1. toute trace et tout revers sont absents — du chemin et de la page — et tout homme aussi, ou bien 2. il n'y paraît jamais d'homme pressé, ou bien 3. l'homme y paraît, pressé. Passer, serait-ce en même temps se presser ? Cette marche rapide (ou alors, cette marche rapide niée), correspondrait-elle à la rapidité de la voiture aperçue au début du poème, et alors les arbres qui paraissent passer, indiquent-ils la subjectivité de ces deux courses rapides, celle de la voiture et celle de l'homme ? Ou pourrait-on dire qu'eux, ils passent avec le temps, les numéros et les traces, cependant que l'homme disparaît du passage ? Le lecteur se sent tenu à une certaine distance psychologique du vrai centre de la ou des significations du texte, qui reste ambigu ; mais c'est peut-être aussi le cas pour le poète. Ne sont près ni l'un ni l'autre.

5. *Réduction : Decrescendo, Détournement, Descente*

Par un procédé auquel on pourrait attribuer le nom de decrescendo, quelques textes de Reverdy s'érigent et se défont dans un même mouvement. Pour voir la façon dont ces textes-là diffèrent de ceux qui illustrent tout simplement la décomposition, il faudrait être sensible au rythme. Ou le processus se fait dans le texte, comme pour « Le Flot berceur » et « L'Ombre » que nous venons de voir, ou il a lieu après, par la résonance et la projection au dehors, l'élément corrosif se répandant. Si le processus se confond avec le déroulement verbal, on pourrait ne pas voir le décalage entre les deux couches, celle plus positive — où se situe tout ce qui *fait* ou construit le texte — et celle plus négative, où se situe tout ce qui le détruit ou le défait par implication.

Comme exemples de cette dernière tendance, nous pouvons considérer trois poèmes d'époques différentes, « Auberge » (*Les Ardoises du toit,* 1918), « Mais rien » (*Pierres Blanches,* 1930), et « Une seule vague » (*De Plein Verre,* 1940).

« Auberge » (PT, 176-7)

L'image ambiguë du commencement ouvre le poème en le fermant :

Un œil se ferme

(Serait-ce un clin d'œil ? Serait-ce le découragement et la fatigue ? Ou seraient-ce ces deux attitudes exprimées seulement à demi ? Ou plutôt un rêve éveillé ? Ou tout simplement une image suggérée par l'idéogramme chinois pour la nuit, sorte d'oiseau sur une branche, l'œil fermé à demi ?)

Ensuite, une ombre s'efface et toute vision est niée complètement :

On n'a rien vu
De tout ce qui passait on n'a rien retenu
Autant de paroles qui montent
Des contes qu'on n'a jamais lus
Rien
Les jours qui se pressent à la sortie
Enfin la cavalcade s'est évanouie
En bas entre les tables où l'on jouait aux cartes.

Toute la cavalcade cubiste, les collages avec la bouteille, le journal et les cartes, la conversation et le poème-conversation, s'en vont à jamais. Conclusion triste et pourtant raisonnable, qui met fin à toutes les paroles, poétiques et autres.

« Mais rien » (MO, 303)

Toute une série d'images descend dans ce poème, dont le premier vers lui-même se ferme :

Un même pan ferme le coin

Et voilà le poète fermé, emprisonné en lui-même aussi, à travers le glissement de la corde, la chute de la pluie, l'homme qui tombe fatigué, sous le ciel bas, dans la journée qui baisse, et le vent qui cesse. Une monotonie où n'importe quel changement aurait allégé la ligne pesante du poème ; il n'y en aura pas :

On pourrait croire qu'il est arrivé quelque chose
Mais rien

Ainsi le sentiment incomplet du texte est-il renforcé par le vers incomplet final.

« Une Seule Vague » (MO, 387)

Ce poème, assez long, est pourtant d'une seule pièce (ou d'une seule vague). Elle commence à se dérouler lentement entraînant les mots, d'une façon que nous ne reconnaissons pas comme caractéristique du poète :

> J'ai hésité longtemps à remonter vers le niveau de ma lumière
> Marche à marche les pas glissant sur le vernis des matins verts
> J'ai mis longtemps à me décider entre la vie et la mort
> Entre l'endroit et la doublure

Mais quelle décision a pu être prise au moyen de ces vers qui répètent ces autres vers ? Sans y répondre, et sans même susciter de curiosité de la part du lecteur, la vague se répand et puis, soudain, se réduit elle-même :

> Maintenant
> Plus que toi dans la chambre aux clous noirs
> Aux rayons de ténèbres
> Plus que toi entre les plis de mon cœur dur
> Plus que toi à portée de mon désir encore tiède

Il saute aux yeux tout d'abord que ce qui soutient les ténèbres ici, les rayons dans la chambre qui les contient, est, par un tour de force phonétique, précisément ce qui les nie. Et cette présence tiède, désagréable (par transfert du désir « tiède ») prépare la conclusion du poème, qui est encore réduit d'un cran par rapport à ce « Mais rien » du poème que nous venons de voir :

> Et de tout ce qui vit ailleurs
> Immobile et trop réel dans la matière
> Rien

Le fait que ce mot-là, extrême, vient conclure un texte de cette longueur et de cette relative profusion élémentaire (si on le compare avec les autres textes de Reverdy qui sont d'habitude assez nus) souligne fortement cette structure en descente accélérée :

Ce sont là des exemples très nets du procédé négateur. Il y en a plusieurs autres où la réduction se fait sentir d'une manière plus subtile. Examinons en deux parmi les poèmes de la première période qui se suivent dans les *Poèmes en prose* :

« Une Apparence médiocre » (PT, 30)

Déjà le titre indique — sans doute ironiquement — la modestie de l'approche, exagérant l'aspect humble, anecdotique du texte aussi bien que du personnage. A la gare — tout poème-anecdote est situé — au milieu d'une foule en larmes, un seul voyageur ne quitte personne, ne trouvera personne :

> Mais celui-là est seul et ses lunettes se ternissent des larmes des autres ou de la pluie qui fouette la vitre où il colle son nez.

Même ses larmes ne lui appartiennent pas, et l'attitude qui aurait pu s'interpréter comme pose héroïque (celui-là, « seul ») est diminuée de plusieurs façons, par une ou plusieurs réductions physique, grammaticale et psychologique :

larmes	>	des autres pluie
lunettes	>	nez collé
becs de gaz qui l'éclairent	>	sa petite valise à la main
il est seul	>	on le croit seul

Le mythe le plus héroïque ne pourrait pas résister à de telles techniques ; à plus forte raison, ce personnage dit « médiocre », dont la stature est diminuée par chaque détail. Car les larmes romantiques ne sont qu'*empruntées,* ou extérieures et inappropriées. Ses lunettes frappent contre le verre où il colle son nez (l'une des parties du corps les moins héroïques, sauf au sens cyranesque), dans le décor fin de siècle, on ne voit que cette petite valise pathétique, ainsi que celle d'un enfant. Il n'a même pas l'intérêt d'être seul — simplement, on ne remarque pas ses compagnons, aussi effacés que lui : une diminution de plus. Pourtant, la conclusion du poème s'ouvre sur un mystère dans cette ombre vague...

« Fantômes du danger » (PT, 31)

Le titre annonce que tout le paysage entrevu ou sa représentation verbale s'étendra juste aussi loin que l'imagination du poète ou du lecteur. La réalité en apparence acceptée au début de la phrase est niée tout de suite après, dans les confins de la même phrase, où ce qui est armé se trouve dépourvu le moment après.

> Sur la crête du toit il y a une armée immobile ou une rangée de cheminées sans armes.

Comparez la technique verbale de la constatation :

> Il est seul, on le croit seul.

Les signes sont vidés de sens, et les phrases qui paraissent constater d'abord ne produisent finalement que des contre-constatations. Qu'on ne se fie pas au décor, ni même au décor verbal de la phrase :

> Dans les arbres un moulin agite éperdument les bras vers on ne sait quel ciel.

Et la conclusion du deuxième texte est encore plus sombre que celle du premier, où le personnage médiocre était, ou était vu comme seul. Enfermé dans le texte, il n'ose pas sortir, prisonnier sans intérêt, dans un décor délibérément présenté comme médiocre :

> ... un intérieur paisible où dort sans inquiétude un enfant, près du poêle qui ronfle. Mais l'homme seul qui sort hésite à s'éloigner pour marcher dans la nuit.

Le verbe « hésiter » suffit pour condamner ce plat personnage, qui est loin d'être un autre Hamlet. Il ne médite pas sur la vie et la mort, il hésite tout simplement : ce n'est pas un héros.

Où l'importance du personnage central est niée, le ton de tout le texte se trouve modifié. Comme exemple, examinons un poème dont le titre est à la fois neutre, vague et indécis.

« Dans les champs ou sur la colline » (PT, 222)

Que ce soit l'un ou l'autre, cela nous est indifférent. Il n'y a aucune condensation en formule, aucun désir d'intensité ou de prolongement lyrique, plutôt une réduction éclatante : histoire → homme.

> Non
> Le personnage historique
> Et là le soleil s'arrêtait
> C'était un homme qui passait

Est-ce que la négation préliminaire porte sur ce qui précède le poème, dont nous ne savons rien ? Ou sur le personnage de l'homme, qui n'est pas historique ? Cette irrésolution qui donne le ton à tout le texte aboutit dans le vers final, à une déflection d'intérêt très grave et de portée assez étendue. Car ce n'est pas ce qui se passe dans le poème, ni ceux qui passent par le poème, qui attirent notre attention à la conclusion, mais quelque chose d'autre que le texte :

> On attendait
> On regardait
> C'est à tout ce qui se passait ailleurs que l'on pensait

Ainsi la valeur du texte est considérée comme minime, et celui-ci ne sert qu'à attirer l'attention sur ce qui se passe ailleurs. Procédé qui peut nous aider à voir comment Reverdy détourne l'intérêt du poème qu'il est en train d'écrire, ou que nous sommes en train de lire. Tout cela ne compte pas, ni ce qui entoure — cadre — ni ce qui le remplit.

« Les Poètes » (PT, 19)

Pendant toute cette première période, déjà, l'idée du poète se confond avec l'idée du musicien. Dans ce texte, la scène est vue, ironie évidente, à partir de l'image d'abord saillante d'un timide qui se cache. Son attitude est à l'opposé de celle du poète baudelairien ou mallarméen près de la lampe, de la feuille blanche, où pourraient s'inscrire des traces héroïques, où l'absence même laisse sa marque. Ici :

> Sa tête s'abritait craintivement sous l'abat-jour de la lampe
> Il est vert et ses yeux sont rouges.

C'est un des poètes ; l'autre, qui n'est pas tellement autre, se trouve à côté, aussi misérable et aussi peu héroïque que le premier :

> Il y a un musicien qui ne bouge pas. Il dort ; ses mains coupées jouent du violon pour lui faire oublier sa misère.

Il n'est plus question du poète ni de « sa tête » — mais la distance entre « sa tête » et « ses mains coupées » n'est pas grande. (Allusion, avant l'époque de l'écriture automatique, à l'habitude d'écrire sans presque se corriger ?) On y voit facilement une image de Chagall.

Qu'on ne se trompe pas, en voyant cette façon neutre de présenter les éléments qui était celle de Reverdy à cette époque (« Il y a... Il n'y a pas ») : la syntaxe ne lie pas, nous dira-t-on. En effet, pas plus que les mains coupées ne sont liées au violoniste. Cela n'empêche pas qu'il existe des liens très évidents, soulignés, en fait, par un paradoxe. L'escalier dans ce poème « ne mène nulle part » et la présentation paraît refuser toute cohésion. Les personnages n'y sont que « des ombres qui se précipitent dans le vide », et recommencent à monter l'escalier (qui ne mène, justement, qu'au lieu d'où ces fantômes tombent) :

> ... éternellement charmées par le musicien qui joue toujours du violon avec ses mains qui ne l'écoutent pas.

Des yeux rouges au commencement jusqu'à ces mains et ces oreilles absentes, le poème n'est que la constatation du peu d'effet réel du poème.

Après cet examen d'un texte qui se réduit dans ses images, et d'un personnage peu héroïque, il faudrait voir d'autres techniques de négation, à la fois plus évidentes et plus subtiles.

« Globe » (FV, 32)

Après avoir bénéficié dans son titre d'une universalité globale, de sens vague, ce poème énumère un à un quelques acteurs et quelques éléments du décor, suggérant leur fragilité, leur peu de substance, leur petite taille :

> Où ai-je vu le comédien, le musicien, l'homme de Dieu.
> Ce n'était qu'un profil qui s'abattait sur la muraille. Une ombre.... on distingua quelques étoiles et un petit enfant tendait sa main.

Nous nous souvenons de l'image donnée par Breton dans son poème « Rideau rideau » de l'acteur sur la scène, jouant le rôle de poète, observé par le poète lui-même.

On voit déjà que les éléments humains occupent très peu de place dans cette universalité, et que le rôle de chacun ne laisse au mur qu'une mince trace qui s'abat instantanément. Comme c'est souvent le cas dans la poésie de Reverdy, une convergence intérieure semble se produire précisément *là où il est question de rôle.* Car ceux qui jouent, qu'ils soient hommes de Dieu ou non, ne laisseront jamais que ce profil peu sérieux qui se détache sur la muraille. Et c'est en effet le verbe « s'abattre » qui convient non seulement au profil qui sera nié, mais à la muraille qu'on abat comme si l'appui ne pouvait pas tenir, donnant ainsi l'impression d'un décor de théâtre, de ce théâtre d'ombres chinoises.

Tous les trois, le comédien, le musicien et l'enfant jouent chacun à leur manière ; c'est en cela que l'expérience est reconnue comme globale. Mais ensuite, l'expérience est niée :

> ... et tout s'évanouit.
> Pas même la nuit, ni l'homme, ni Dieu.
> Pas même l'enfant ni les étoiles

Tous les éléments ont été accumulés rien que pour être éliminés, de sorte que le poème se construit pour se détruire. De plus, si on avait attribué à cette énumération la force de l'universalité, il faudrait maintenant reconnaître que la négation finale elle aussi est universelle. Le poème se défait comme il s'est fait, consciemment.

Mais ce n'est pas là encore nier la force du poème. Le plus grave, c'est que l'impulsion poétique ne suffit pas toujours à porter au-delà des confins du texte. Prenons deux exemples parmi les *Etoiles peintes* de 1921. Il est d'abord évident que le titre du recueil va dans le même sens que le poème qu'on vient d'examiner : les étoiles ne sont pas plus réelles que le décor du théâtre, qu'on a vu abattre. Elles ont été affichées ou très simplement peintes pour impressionner. Et les textes de ce recueil sont fortement marqués par la conscience que l'artifice ne sera pas plus durable que l'art.

« Mémoire d'Homme » (PT, 327) ; « Les Musiciens » (PT, 323)

Ces deux poèmes, qui se suivent, devraient être étudiés ensemble. Ils reprennent le thème musical de « Poètes » où les mains du violoniste avaient été coupées.[12] Dans « Mémoire d'homme », la « guitare dont les notes ne vont pas assez haut » pourrait signaler l'inefficacité d'une certaine modestie, présente en tout texte où entre le sentiment de la litote, comme c'est toujours le cas chez Reverdy.

En effet, les danseurs s'arrêtent à la conclusion du morceau, terme applicable ou à la musique, ou à ce texte, dont les notes, *entendues de l'extérieur,* ne vont pas assez haut. Qui plus est, ils regardent le tapis : au lieu de penser à quoi que ce soit d'extérieur au poème, ils adoptent l'attitude de ceux pour qui les limites fixées, présentes, sont déterminantes. Ils ne regardent pas plus loin, ne cherchent pas à entendre des notes autres que celles de cet instrument, peu efficace.

Dans « Les Musiciens » par contre, il y a une cohésion très forte entre l'ombre et la rue « où il se passe quelque chose », entre l'instrument et le groupe qui écoute ou qui regarde : dans l'avant-dernière phrase « le geste qui ramasse » reprend la rime et le sens de la première phrase (« où il se passe quelque chose »), faisant ainsi remarquer leur divergence conceptuelle sous la convergence phonétique. La rime répétée conduit au verbe opposé : « disparaître », verbe qui détermine le dénouement négatif, mais qui rassemble (« ramasse ») même dans son action de disperser et dans la clôture qu'il opère dans ce geste final :

> ... Puis le signe du ciel, le geste qui ramasse et tout disparaît dans le pan de l'habit, du mur qui se dérobe. Tout glisse et le brouillard enroule les passants, disperse les échos, cache l'homme, le groupe et l'instrument.

Que la série d'images (habit, se dérobe, glisse) ait pu être déterminée par l'idée des vêtements, de se dévêtir, n'est pas non plus sans importance. Car le vêtement couvre, d'une manière artificiellement choisie, la réalité, autre étoile peinte, autre décor où la mode se joue. Se dévêtir, c'est aussi, en un sens, abattre le mur et le profil qui s'y dessine.

Petit à petit le poète s'exile de son texte. On voit cela particulièrement dans un poème, tout en ligne tombante, qui indique la préférence pour un regard qui descend. Descendre la page, défaire le texte.

« Descente » (SV, 111)

Le titre souligne le sens que prendra le texte : jusqu'aux saules pleureurs du dernier vers mis en opposition aux longs cheveux de la femme et aux fils de pluie, tout descend, se meurt, saigne, se plaint, pleure et se pleure. La scène finale a été préparée par le premier vers et par la répétition exacte de ce phonème : « eau / ô » et une variante sombre : « on », à plusieurs reprises, comme la constante source liquide du courant verbal.

Eau
gaze
étoile
Halô
Tout ce qui est mort sur la toile
La grotte à l'horiz*on*
Le ruiss*eau*
Le m*on*de qui se f*on*d
Derrière ce tabl*eau*
...
Le chemin sous la pluie
Tes cheveux embrouillés
Les arbres qui se plaignent

La tragédie implicite dans les trois images finales, bien qu'elle soit déterminée par ce qui précède, est très distincte par le ton de la correspondance superficielle du début et de la suggestion ingénieuse qui y paraît :

eau → [gaz] → gaze
↓
[saules pleureurs]

L'homme est absent, encore une fois, de cette toile. Le sentiment de l'homme sera pourtant remplacé par les arbres qui, eux, pleureront pour lui. Ainsi se signale son peu d'importance dans le texte, dont il forme pourtant le centre.

B. — THÈMES

1. *Glace : Masque, Fausseté, Vide — (Reprise)*

Se voir comme masque, se moquer de sa propre grimace, de son expression en tant qu'elle est solution traditionnelle à l'impasse. La figure du miroir, déjà vue *de l'autre côté,* comprend plusieurs motifs omniprésents, tels que :

la lucarne ovale	le trou
le baillement ovale	le canevas
le gouffre ovale	le masque
le miroir qui coule	la moquerie

et ainsi de suite. Se regarder comme poème, c'est interpréter ce qu'on voit dans son propre visage, posséder la clef de ses propres gestes tels qu'ils sont tous arrêtés par la fixité de l'eau (« O »), et changés en *glace*. Tout regard révèle un moment pris et fermé.

Continuité des hantises mallarméennes : le signe pris dans le lac, les objets vacants et pliés pour celui qui sait voir, tandis que les autres pourtant en rient :

> ... la foule riait
> elle était venue là pour rire
> (« Le Bilboquet », *Poèmes en prose,* 1915)
>
> Ils sont tous là derrière pour m'écraser
> D'un bout à l'autre du boulevard
> Leur rire affreux
> (« Par tous les bouts », *La Lucarne ovale,* 1916)
>
> Et des rires moqueurs dans les plis du rideau
> (« Nuit », *Les Ardoises du toit,* 1918)
>
> Par la porte j'aperçois des amis qui sont en train de rire.
> Peut-être est-il question de moi ?
> (« Ça », *Flaques de verre,* 1928)
>
> Certainement quelque chose tombait
> Une fausse parure
> Et tu ne voyais même pas ma figure
> La porte tournait
> Quelqu'un riait
> (« Derrière la gare », *Sources du vent,* 1929)

Celui dont on attend qu'il joue son rôle s'avance masqué : vieux motif du clown-poète triste, rôle tout fait pour Reverdy, comme pour Jacob, mais la distance entre leurs deux conceptions, leur ironie individuelle l'accentue. La grimace légère sur laquelle finit le poème « Détresse du sort » donne le ton pour plusieurs textes du même genre, pleins de rappels de Hamlet, avec des nuances de Laforgue, de Mallarmé. Faux nom, fausse parure — la série de poèmes écrits à ce sujet (se moque-t-on de moi ? Me regarde-t-on ? De qui rient-ils ?) devient à son tour masque pour habiller le visage poétique, rôle ou faux rôle que le poète finit par *lire,* autre lecteur de lui-même. Nous nous souvenons encore du poème : « Rideau rideau », où le poète tire sur sa propre image, et en même temps, sur son rôle de « comédien », rôle joué par Reverdy comme par Breton.

2. *Trou*[13]

Dans le premier mouvement de la poésie de Reverdy, c'est-à-dire dans les poèmes publiés entre 1915 et 1922, les allusions au trou (trou-miroir, trou noir, et ainsi de suite) sont prédominantes, tandis que plus tard d'autres images en prennent la relève.

L'image originale et trouble du trou se transforme petit à petit en un concept nettement symbolique où la force de l'image-choc prétendue « pure » se modifie : par exemple, dans des poèmes tels que « Le Cercle ténébreux » de *Pierres Blanches* (1930), le trou perd de sa force originale par un anthropomorphisme frappant :

Un baillement ovale ouvre le mur
Et la lumière troue le mur deux fois
Les yeux qui s'ouvrent

Plus claires encore sont des images telles que « des trous de clarté qui dispersaient mes membres » (MO, 345), autre exemple de cette force de perforation liée à l'humain.

Cette hantise préliminaire du vide au centre de tout est devenue l'une des sources les plus profondes de la première poésie de Reverdy. On choisira ici uniquement des passages de la première période pour illustrer la gamme des variations possibles et on les verra selon l'ordre où ils paraissent dans le livre. Le premier exemple frappant est un indice pour les yeux aussi bien que pour les oreilles. Le poème « O » que nous avons déjà vu prend lui-même la forme de la bouche :

« O » (PT, 69)

Simplement, d'une façon transparente le poème joue avec cette lettre-syllabe, d'abord sous sa forme la plus ouverte, mais qui se ferme petit à petit, jusqu'à devenir « Ou » :

Le numér*o* tombé à l'*eau*
Elle passe devant la b*ou*che d'ég*out*
Le tr*ou*
Quel dég*oût*

D'abord le texte grand ouvert baille, sans angoisse, et ensuite il se ferme à demi, sans jamais quitter ce ton léger.

Il y a des visions bien moins légères qui s'organisent autour de la bouche. Par un renversement horrible et horriblement juste dans une œuvre où il s'agit si précisément de la poésie se proférant, le poète-source de la parole se voit lui-même avalé par une bouche, force de l'univers en arrêt, qui témoigne de l'obsession *verbale* :

La terre était fendue
Comme une énorme bouche
Une immonde crevasse aux lèvres
boursouflées
Et
arrêté entre les amygdales
d'un monstrueux gosier
j'étais coincé

L'air était trop humide
et tiède là-dedans (LM, 37)

Tout le profil angulaire prend son caractère spécifiquement dur dans une atmosphère tellement déformante. Au centre de tout, le poète souffre, livré à la sensation intérieure qu'il communique au lecteur, que celui-ci le veuille ou non.

« Les Vides du printemps » (PT, 81)

Le titre semble entièrement négatif, mais il n'en est rien, car le trou inutile ou tout au moins obscène est en train de devenir miroir, l'image suprême de l'art immobile qu'admire Reverdy : « L'art ne saurait être que statique ». (Il faudrait comparer cette attitude avec les proclamations de Tzara sur la position « statique » du mouvement Dada.)

En passant une seule fois devant ce trou j'ai penché mon front
Qui est là
Quel chemin est venu finir à cet endroit
Quelle vie arrêtée
Que je ne connais pas

On n'a qu'à juxtaposer ce texte au poème « Narcisse parle » de Paul Valéry pour s'apercevoir de la différence entre les deux conceptions : l'intellectualité tranquille de celui-ci, et la vision personnelle, obsédée au plus haut degré, de Reverdy. Chez lui, il y aura rarement un lac qui ne fait que renvoyer l'image, et devant lequel on peut méditer. On s'arrête ici devant l'espace sans reflet ; donc, le vide, bien qu'il démontre le pouvoir d'arrêter le passant n'est pas encore passé au « stade du miroir ».

« Le Sang troublé » (PT, 88)

Dans le même recueil, cet autre poème se situe déjà au lieu précis où les idées du trou, du reflet et du tableau se rencontrent, et où ce miroir se double lui-même, toujours plus éloigné ou plus profond, chemin intérieur qui mène bien plus loin que cet « o » de la bouche parlante, plus loin même que le cadre entourant, fait ici du son « ou » :

Un trou noir où le vent se rue
Tout tourne en rond
La fenêtre s'éloigne de la glace du fond
...
C'est un paysage sans cadre

Les trois derniers exemples, pris dans *Les Ardoises du toit* (1918) montrent que l'image familière a pris une résonance enfin positive.

« Orage » (PT, 194) ; « Rives » (PT, 200)

Au premier exemple, on devrait aussi comparer tous les vers tels que « Une lumière vient » et « des trous de clarté qui dispersaient mes membres ». Un trou, car l'ouverture éclaire :

> La fenêtre
> Un trou vivant où l'éclair bat
> (« L'Orage »)

Dans l'exemple ci-dessous, on devrait noter la condensation, car le « trou » a avalé la préposition «où » :

> En-dessous
> un trou
> l'œil fonce sans limite
> (« Rives »)

Voici que le trou commence à vivre comme le cœur (« l'éclair bat ») ou bien encore, qu'il ouvre la voie à la vision dans toute sa profondeur ; ailleurs c'est l'absence déjà remarquée de décor familier à la poésie, des cartes géographiques de Baudelaire ou de la feuille de Mallarmé sous un éclairage vertical :

> Il n'y a plus qu'un trou sous la lampe (PT, 234)

ou l'absence même de lumière, encadrée et signalée par l'image de l'ouverture dans « Chambre Noire » :

> Un trou dans la lumière et la porte l'encadre (PT, 233)

On lit ce tableau — étrangement négatif et positif en même temps — comme si c'était une étoffe claire interrompue : le baillement de l'abîme obsède toujours, comme une image de bouche, image, donc du poème qui se parle.

Nous voici donc revenus à cette notion capitale de la « Chambre noire ». Ce retour est formel autant que thématique, car c'est précisément là notre souci original.

IV. — RELIRE, MÉTAPOÉTIQUE ET MODIFICATIONS

Mais celui-là est seul... (PT, 30)

A. — INTERROGATION, INCLINAISON, INTENSIFICATION

Il y a une transition lente ou une transformation brusque de l'image. (PH, 105)

En relisant quelques textes sous un éclairage différent grâce à l'examen des [discrètes] modifications qu'y a apportées Reverdy, nous espérons montrer son attitude à l'égard du langage poétique. La mise en valeur de certaines phrases, voire de certains mots, se révèle dans les retouches les plus légères et dans les traces de son travail typographique. Comparées à celles des autres poètes, les variantes de Reverdy offrent une différence remarquable : les modifications les plus étendues dans les passages les plus « travaillés », ceux qui présentent le plus grand nombre de corrections, additions, suppressions, offrent le moins de changement réel quant à la *substance* (pour employer ce mot préféré de Reverdy) qu'il s'agisse des poèmes, des poèmes en prose, des textes en prose. Les révisions portant sur un grand nombre d'éléments restent, pour la plupart dans le même cadre architectural, gardent le même ton. C'est seulement là où la modification est simple, légère en apparence ou même négligeable, que le changement est profond, peut-être une indication, parmi tant d'autres, de la spontanéité de Reverdy, de sa proximité naturelle à l'égard de la matière poétique : le travail n'y change pas grand chose. Nous allons voir par des exemples la méthode de travail caractéristique du poète, et comment il a essayé d'incorporer dans son œuvre un espace d'ambiguïté qui permettrait d'y déposer la substance d'autres lectures que la sienne. (Nous prenons le terme « lecture » au sens général, aussi bien la lecture que fait le poète de son propre travail que la nôtre, et que toute autre.)

Tout d'abord la mise en page et la typographie. Si certains des procédés d'écriture que nous examinerons ressemblent à ceux des autres poètes, celui-là est spécial à Reverdy puisque, contre toute attente, ce ne sont pas les remaniements profonds de la composition qui comptent, mais plutôt les retouches partout sur des détails visuels apparemment intimes qui modifient la réaction probable du lecteur, la conception de base restant intacte. Cette attention à la typographie comme à une syntaxe nouvelle, préférable pour la poésie et les contes, convenant à la poésie et aux contes mieux que tout autre genre, conduirait à la même conclusion n'importe quel lecteur de ses manuscrits. Il n'existe pas de différences foncières, ni de forme ni de substance, entre les proses et les poèmes : tous sont, de notre point de vue, des poèmes, plus ou moins longs. L'état d'âme révélé en forme tout le contenu ; c'est une *poésie statique,* qu'il s'agisse de prose ou de formes traditionnellement « poétiques ». (Dans une note aux « Haschischim », Reverdy montre le peu d'importance qu'il attache au choix d'un genre ou d'un autre en disant simplement : « Je traversais une période de contes. ») Par leur situation spatiale, dans l'exagération de l'angle qu'ils dessinent, plusieurs textes sont placés délibérément en oblique par rapport à l'alignement habituel du vers.

Texte poétique en prose, texte poétique en typographie renouvelée, l'un et l'autre présente également bien ce « moment d'illusion ou fragment de vie irréelle intense », selon la définition que Reverdy donne du « sentiment poétique », dans son « Essai d'esthétique littéraire » (*Nord-Sud,* N°s 4-5, juin-juillet, 1917). Reverdy va attribuer une importance primordiale aux modifications typographiques pour le renouvellement de la syntaxe. Cette importance est soulignée par exemple, dans la célèbre formule sarcastique : « Mais si on ne veut pas comprendre qu'une disposition typographique nouvelle soit parallèle d'une syntaxe différente et que cette syntaxe soit en rapport avec l'œuvre nouvelle, qu'on se tienne à la très digne incompréhension. » (« Syntaxe », *Nord-Sud,* N° 14, avril 1918.)

Les exemples ci-dessous, choisis parmi les manuscrits du poète conservés à la Bibliothèque Littéraire Jacques Doucet, seront classés selon la date de la première publication du recueil, et ensuite selon leur parution dans le livre même. Pour l'étude de modifications, les proses viennent soit du conte « Au bord de l'ombre », soit de *La Peau de l'homme* (1926), les poèmes, soit des *Ardoises du toit* (1918) soit des *Sources du vent* (1929). Il va de soi que la méthode de sélection empêche de considérer toutes les modifications : on a choisi les plus significatives *selon cette lecture individuelle* qui est la nôtre. Les changements apportés seront visibles si on compare le texte final (au-dessus) avec le texte manuscrit (au-dessous), celui-ci marqué *MS.* Nous allons d'abord prendre des exemples précis, où la typographie renforce l'attention portée au procédé linguistique, c'est-à-dire, des textes « métapoétiques ». Et, — ce n'est nullement par hasard — les exemples seront tirés du conte « Au Bord de l'ombre », dont le titre se rapproche de l'idée de *la chambre noire,* lieu privilégié du développement poétique.

Dans ce conte, plusieurs passages montrent une certaine conscience du phénomène *lecture* et la grande importance qu'y prennent les subtilités de la typographie. Quand le poète détache une phrase d'un passage où toutes se tenaient dans la première version, pour l'isoler seule en un alinéa, il s'agit bien souvent d'une de ces phrases qui font allusion à la lecture ou au lecteur, ou alors à l'écriture. Par exemple, cette phrase que nous pouvons facilement imaginer précédée du signe typographique du doigt pointé :

> Prends garde, lecteur. C'est ici que se dégage l'anecdote (PH, 91).

Ou celle-ci, sarcastique :

> Goutte à goutte, un esprit de littérature imprègne le décor (PH, 92).

Par contre, dans la prose il y a en général un effort plus marqué pour ne pas interrompre les segments de phrase. Partout dans les manuscrits des contes et des poèmes, des points d'arrêt ont été éliminés dans le texte définitif ; il arrive que l'éditeur les rétablisse — par exemple, dans *La Vie des Lettres et des Arts* (juin 1922), dans le texte de « Buveur solitaire », auquel nous reviendrons, quelques points d'arrêt avaient été ajoutés — ce qui peut être considéré fâcheux d'un certain point de vue, parce que ces arrêts semblent entraver le flux et l'ambiguïté qui sont essentiels au dire poétique de Reverdy. Ce paradoxe sera continuel, et confirme l'idée du poète qui marche comme un homme sur place et d'une poésie statique.

Dans le recueil *Sources du vent,* réimprimé au « Mercure de France », 1949, dans le recueil *Main d'œuvre,* et dans la collection « Poésie » de Gallimard, 1971, d'après l'édition de Maurice Sachs, 1929, quelques changements de ponctuation et de typographie sont frappants comparés aux manuscrits. Mais en principe, le texte définitif est celui qui permet la coulée sans entrave ; des points d'arrêt ont été éliminés en assez grand nombre (les points de suspension... indiquent nos coupures) :

> « Le Monde devant moi » (MO, 218)
>
> ...
> Les animaux couraient tout le long du chemin
> ...
> La campagne où chante un seul oiseau
> Quelqu'un a peur
> ...
> La pluie efface les larmes
> ...
> Et moi je suis resté assis sans oser regarder

MS :

...
Les animaux couraient tout le long du chemin.
...
La campagne où chante un seul oiseau,
Quelqu'un a peur
...
La pluie efface les larmes.
...
Et moi je suis resté assis sans oser regarder.

La ponctuation avait pour effet d'entrecouper le texte d'une façon particulièrement gênante dans cette poésie qui coule sans avancer. Regardons de plus près ce dernier vers et ce qui le précède, dont il était originellement l'écho exact :

Je me suis assis
...
Et moi *je suis resté assis* sans oser regarder

MS :

Et moi *je me suis assis* sans oser regarder.

Ce léger changement du dernier vers, pour l'empêcher de ressembler au précédent, a pour effet de montrer une action qui continue au lieu de se répéter, et de prolonger l'attitude physique aussi bien que mentale par-delà les limites formelles du poème. Ainsi le texte ne s'arrête pas dans son cadre, mais fait sentir l'état d'esprit qui a déterminé le geste spécifique dans l'univers plus général de tous les poèmes — on ne cesse de voir le poète qui « reste » assis ou debout, en dépit de la coulée du texte. Ce geste répond et correspond à l'attitude du poète qui ne bouge pas, piéton du langage. Une modification, si légère soit-elle, peut ainsi rayonner pour toucher tout le texte, ce monde délibérément statique.

Regardons enfin un poème qu'on pourrait appeler, d'un certain point de vue, métapoétique. Il est intitulé, non par hasard : « De Haut en bas » (MO, 229). Dans le passage ci-dessous, les traces d'un premier projet restent visibles :

L'orage est près
Une branche s'incline sur l'œil qui dort
                                        Un poisson mort
L'eau s'étire
                    Quelqu'un sort

MS : Dans une première version, tous les vers étaient alignés ; il est indiqué ensuite que le poète a décidé de déplacer quelques lignes vers la droite, pour accentuer cette typographie qu'on appelle en « créneaux » ou en « chicane » ; deux choses nous intéressent à ce propos. D'une part, les vers où apparaît la rime intérieure — rime qui renforce le *or* de l'orage imminent — ont été choisis pour être distingués des autres, alignés l'un sous l'autre. Et cela, d'autre part, dans un poème qui par son titre attire l'attention sur la façon de se faire lire, sur le déchiffrement textuel. Cet intérêt métapoétique ne quittera pas Reverdy.

B. — LE REGARD : SIGNES ET ENSEIGNES

> « Il descend. Ne le prenez pas surtout pour quelque ordinaire » (PH, 93).

Nous savons, d'après plusieurs remarques faites par le poète, quelle importance il attache au mot, auquel il donne au moins le même poids qu'à l'idée :

> ... Le mot est en lui-même un signe... (EV, 27)
> ... le moment où les mots deviennent aussi lourds et encombrants que les choses... (EV, 128)
> ... mais la réaction aux mots, l'effet effervescent que les mots produisent en nous... (EV, 137)

On ne s'étonnera donc pas que, chez Reverdy, le son d'un mot puisse dominer le sens d'un texte, que la plus minime suggestion verbale puisse entraîner toute une série d'images qui ne se rejoignent aucunement en dehors de ce son original et parfois caché. En témoignent les quelques exemples ci-dessous, dont l'évolution indique probablement le procédé qui pourrait servir de prototype pour l'évolution de tous les poèmes de ce genre. Encore une fois, que le procédé soit conscient ou, comme dans la plupart des cas, inconscient, cela ne nous concerne pas.

Tout changement de position d'un mot dans les manuscrits indique qu'une certaine importance lui est attribuée ; si l'on découvrait que dans une série de textes, un poète avait tendance à déplacer certains mots, on arriverait sans doute à la conclusion que ces mots lui semblaient particulièrement importants, pour quelque raison que ce soit. Dans le cas de Reverdy, c'est la rime intérieure, qu'il modifie bien souvent pour rendre plus nuancée la répétition, ou pour la déguiser, ou encore, pour la souligner. Bien que les procédés paraissent différer en pratique, tous renforcent l'impression que la structure essentielle de la poésie et de la prose poétique de Reverdy est constituée justement de ces échos intérieurs. Ils sont comme les vertèbres de son système, remplaçant tout ce qui serait, chez un autre, une chaîne d'argument : « La logique d'une œuvre d'art est sa structure. Du moment que cet ensemble s'équilibre et qu'il se tient, c'est qu'il est logique. » (*Self-Defence,* PA, 121.)

Voici donc deux exemples du déplacement conscient de la rime intérieure, la première fois pour l'atténuer, la deuxième, pour l'accentuer :

« Dernière heure » (MO, 228)
Le cavalier en rouge s'immobilise
L'animal est un cadavre grotesque
Un abreuvoir en encrier où les mots sont pris
Les lèvres s'avancent
...
On pourrait croire que
celui qui le porte est plus fort
Il faut compter tout ce qui sort
Et le dernier rayon qui passe
ferme la nuit
La porte
Le livre
Minuit

MS : Les indications précises, de la main de Reverdy, sont formelles : deux vers placés au centre (« On pourrait croire ... fort ») doivent « former deux lignes égales ici ». En poussant un peu loin l'interprétation, on pourrait supposer que l'habit rouge du cavalier suggère la « livrée » d'un domestique (image absente de la surface du texte), qui aurait pu à son tour — par un procédé typique de Reverdy — suggérer la scène du cadavre porté par un domestique. D'où, par suite, les noms « la porte » et « le livre », celui-ci également suggéré par les sons « les lèvres ».

Il y a une autre indication dans le manuscrit de l'importance accordée à la série des concepts et de répétitions, tels que : « le porte / La porte ». Or, les mots « La porte » étaient placés directement au-dessous des mots « le porte » dans le manuscrit, et directement au-dessus des mots correspondants : « Le livre » :

le porte
...
La porte
Le livre

Par cette position facilitant le rappel, les trois mots se renforcent : la possibilité que la dernière syllabe du mot « s'immobi*lise* » suggère, elle aussi, *la lecture* n'est pas à rejeter étant donné l'intense conscience qu'a Reverdy du phénomène de la lecture. Dans l'univers surchargé de cette sensibilité textuelle affinée, un mot peut facilement en mettre en marche d'autres. Puisque le mot supposé d'origine, que nous pourrions appeler le mot générateur, est très fréquemment caché sous la surface (où paraissent uniquement les mots auxquels il a pu donner forme et force) un certain travail interprétatif est requis. Il va de soi qu'aucune supposition ne peut entraîner de certitude, mais cela ne diminue pas notre intérêt pour le fonctionnement qu'on découvre à suivre la main de Reverdy, le processus menant du mot générateur jusqu'au poème qui se forme autour de ce noyau originel.

Ce type de fonctionnement pourrait expliquer aussi la ligne intérieure de plusieurs poèmes. Nous n'en prenons que deux :

« Histoire » (MO, 220)

Une lettre écrite à *l'envers*
La main qui passe sur ta *tête*
Et *l'heure*
Où l'on se lève le *matin*
...
Et les songes m'ont *réveillé*

Une lettre écrite sous l'*en-tête* d'une organisation quelconque aurait pu suggérer l'expression « l'envers » (par exemple, l'envers de la feuille) et la « tête » (de la feuille ou de l'organisation), de même qu'un simple réveille-matin pourrait suggérer les trois autres termes « l'heure », « le matin », « réveillé ». Tout se tiendrait dans cette « Histoire », cohérente et conséquente.

De même, dans le poème « Note », il y a une chaîne de suggestions semblables :

Les *douze notes éveill*èrent une émotion
en *vibrant* dans le silence et la nuit
Une autre toute seule dans *le carré du ciel* se détache
Les mots *rayonnaient* sur la *table*
...
Le bandeau lumineux venait de derrière (MO, 245)

Sur la table de nuit — en concordance avec la table astronomique ou le carré du ciel — le réveille-matin vibre et rayonne, les heures marquées visiblement dans la nuit. Minuit (« Les douze notes ») marque la scène comme inspirée de l'*Igitur* de Mallarmé, dont l'héritage pèse souvent lourd sur Reverdy. Par transposition, le bandeau lumineux de la montre — apprivoisement culturel et réduction des lumières célestes — rayonne autour du poignet comme un diadème d'étoiles, les deux mondes sont en étroite correspondance. Peu importe que cette chaîne d'images n'ait, apparemment, rien à voir avec le reste du poème : c'est pourtant elle qui a disposé la scène dans laquelle se jouera « l'émotion sublime ... l'humanité » qui termine le poème.

Il y a dans ce texte un rappel insistant et triple de la fascination du mot même, qui sonne à l'oreille trois fois comme trois notes d'éveil :

Les mots rayonnaient sur la table
...

> Les mots assemblés formaient un tout
> ...
> Les mots

Ce sont donc, sous cet aspect d'éveil textuel, des mots plutôt que des images, par exemple, qui reçoivent et donnent la lumière poétique.

Du jeu de mots, découvert en remontant du texte final à ses origines, nous donnons encore un exemple, la dernière phrase du conte « Au Bord de l'ombre » dans *La Peau de l'homme*. Il s'agit du chapitre final, appelé « Le Marchand d'étoiles » (nous soulignons) :

> Enfin, quand elles sont tout à fait fanées [les étoiles], depuis trop longtemps mortes, je les *jette* au bord de la mer, la marée basse les remporte.
>
> Et les marins qui au retour de matin *les prennent dans leurs filets,* les appellent encore des étoiles (PH, 95).

MS :

> Enfin, quand elles sont tout à fait fanées, depuis trop longtemps mortes, je les *sème* au bord de la mer, la marée basse les remporte. Quand les marins *les trouvent dans leurs filets,* ils les appelle encore des étoiles.

Le verbe « je les jette », remplaçant l'original « je les sème », reste insuffisamment motivé quand on pense uniquement aux « étoiles » : « étoiles de mer », soit, mais il y a une autre explication, au début même du conte, un poisson dont l'importance est fortement marquée par le fait qu'il a été ajouté après la première version dans le manuscrit : « Sur la terrasse du bar — *poisson* luisant à l'étal du trottoir — l'homme du conte allongeait son immense structure » (PH, 85). Il s'agit, selon toute évidence, d'un jeu de mot sur le *filet de poisson* (à cuire) ou le *filet à poissons* : tandis que le texte original accentuait la découverte des étoiles luisantes, le texte final accentue l'action délibérée de les *prendre*. Car longtemps l'image avait penché du côté des étoiles, les étoiles célestes correspondant aux étoiles de mer, et le choix du verbe « semer » était justifié par l'image astronomique traditionnelle : le héros qui sème les étoiles dans le champ du ciel. Une certaine densité phonétique et sémantique renforcera l'intensité de l'image étoilée : « je les aime / je les sème », et cette scène modeste sera transformée à la fin en scène cosmique, union du ciel et de la terre et de la mer. Mais du moment que le « poisson » entre dans la première image au début du conte (« Poisson luisant ... à l'étal »), le verbe « jeter » sera appelé par le contexte sous-jacent des poissons. La chaîne des suggestions qui prépare le dernier passage est ainsi la suivante :

> étoile — [étoile de mer]
> → [poisson]
> → filets des marins

Passage dans lequel on peut étudier le travail poétique : il n'y a rien de très lyrique en soi dans le filet de sole, ni dans l'étoile de mer prise au filet du pêcheur. Mais une fois que le mot « poisson » a été supprimé, et en même temps l'image explicite d'« étoile de mer », qui ne sera plus présente que par implication — ils « les appellent encore des étoiles » — la résonance propre à la poésie de Reverdy se fait sentir. C'est, comme chez tous les poètes, une sorte d'expansion par-delà ce qui est dit vers d'autres mots, mais qui se fait chez lui dans l'apparente immobilité, par le manque d'élan de ces textes rendus délibérément « statiques », mais qui ne manquent pas d'entrain si on les regarde de près.

**
*

La hantise de la lettre, du signe, du chiffre, et de l'enseigne paraît constante, comme si le poète signalait — soit consciemment, soit inconsciemment — son métier, sans toutefois le dire. « Quand on n'est pas de ce monde » (MO, 66) annonce le discours à mots couverts :

> Il y eut, tout le temps que dura l'orage, quelqu'un qui parla sous le couvert. Autour de la lumière que traçait son doigt sur la nappe on aurait pu voir de grosses lettres noires, en regardant bien.

L'expression « couvert » a pu suggérer l'idée de la table — mettre le couvert — tout en fournissant la matière dans laquelle les lettres mêmes sont inscrites :

> Les lettres disparurent ou plutôt elles s'étaient réunies et formaient un nom étrange qu'on ne déchiffrait pas.

Dans « Un homme fini » nous entendons l'enseigne qui grince, faisant peur ; une tête de poisson prise dans un bloc de glace ouvre le poème « Signes » (*Pierre Blanches*), ces deux titres attirent encore l'attention sur la matière métapoétique, sur l'allusion sémiotique, et sur la pierre gravée que représente la page blanche (on pense aux pages de la *Pierre écrite* de Bonnefoy, aussi aux angoisses blanches de Mallarmé) introduisant les gestes et les traces d'une écriture :

> Les lettres de l'enseigne
> Le mouvement des doigts (MO, 321)

Mais, quant à la lecture même, un avertissement se fait entendre : les signaux peuvent aussi se perdre. Après l'ouverture questionnante de ce grand poème angoissé qu'est « Détresse du sort (*Grande Nature*), le regard tombe encore une fois sur la main — source de création mais aussi d'inquiétude :

J'interroge la porte ouverte
sur le mur blanc.
J'interroge le toit
Et le champ incliné
derrière la maison
Une main enveloppe la terre entre ses doigts
et la lance aux diverses couleurs du ciel... (MO, 17)

Ici, dans un creux entre quelques collines, se perdent les signaux des lampes d'équipage et des chiffres énormes sont inscrits sur les arbres, en nous rappellant peut-être ces lettres inscrites sur la table esquissant un nom qu'on ne connaît pas : la prolifération de signes et de signaux chez Reverdy ne garantit jamais leur intelligibilité. Et, comme les lampes d'équipage se perdaient, l'arc-en-ciel s'éteint ; une autre lumière indicatrice disparaît ainsi parvenue au terme de son utilité :

L'Arc qui entoure ce paysage sinistre et désolé
perd sa couleur
Je crois qu'il s'use

Et à ce moment-là, même le regard auquel les signes se destinent est mis en doute, la correspondance entre regardeur et objet regardé étant rompue dans son ancienne confiance métapoétique :

Et si tout ce que j'ai vu m'avait trompé
S'il n'y avait rien derrière cette toile
qu'un trou vide (MO, 18)

Tout signe, ainsi menacé de non-sens, invite non à la curiosité mais à la prudence : ne pas dépasser les limites du connu, se méfier de la valeur du signe et du chemin signalé. La menace du signe perdu se fait sentir d'une façon atroce dans un poème de souffrance et de doute, dans « La Ligne des noms et des figures » (*Sources du vent*) :

Ce soir beau caractère au théâtre des toits
Pas de signe
...
Figure sur le mur trop rouge
Et elle s'allonge
Le soleil perd son sang sur la neige qui fond
...
La poitrine qui saigne (MO, 238)

On remarquera ici d'abord que l'absence de signe et la perte du sang solaire suggère — dans un décor théâtral bordé de murs rouges — la fausseté du nom et du rôle, la destruction de ces mêmes « bords » où l'on se tenait auparavant, aussi bien que du mur même, et enfin, du sang humain, comme par contamination verbale et visuelle — mur rouge, coucher de soleil, défaite des étoiles. La ligne qui se tend d'un signe à l'autre, du signe jusqu'au sang, n'est pas indéchiffrable : plutôt elle invite à un déchiffrement de ces noms et de ces figures qui entrent dans la ligne métatextuelle de notre relecture.

Si, dans ce texte, celui qui parle avoue son impatience quant au terme de la course qu'est la lecture :

> Le poète s'essouffle pour arriver le premier

nous ne pouvons mieux faire que d'arriver tout de suite après lui, avec notre relecture également impatiente de se partager. Ainsi l'écriture et la lecture se font dans une intensité redoublée, chacune par le souffle et l'essoufflement de l'autre.

C. — DÉVELOPPEMENT : LA CHAMBRE NOIRE

> « Il la combattait et conservait dans sa chambre noire... »

Nous avons déjà indiqué l'importance de l'image de la chambre noire comme témoin du lieu où le poème se travaille, à l'écart de l'éclairage quotidien. Des titres tels que « Au Bord de l'ombre » et « L'Ombre », aussi bien que le conte « La Chambre noire » vont dans le même sens. La photographie poétique est sur le point d'être prise :

> L'eau est prise, les lignes des rives sont prises, et rien ne bouge plus (FV, 122)

Dans cet « Air de glace » (*Flaques de verre*), la glace est aussi le miroir où la lecture aussi est prise. Et ces lignes fréquentes dans les proses et les poèmes fixent l'image.

Un changement apporté à une phrase de la « Chambre noire » est révélateur à cet égard. La première version fait mention d'une lutte, tandis qu'une seconde version y ajoute une idée de conservation, également marquée :

> Il la combattait et *conservait* dans sa chambre noire à l'aide de toute l'épaisseur des couvertures de son lit.

MS :

> Il la combattait dans sa chambre noire à l'aide de toute l'épaisseur des couvertures de son lit.

L'addition du verbe « conservait » a probablement été suggérée par cet autre verbe de trois syllabes dont les première et dernière sont identiques : « com(n)—ait » : ce genre de substitution est fréquent chez Reverdy. Mais en même temps cette addition transforme toute l'image. Dans le « cadre éclatant de lumière » d'où parle le narrateur — et nous reviendrons sur le cadre — seul paraissait le négatif : la lumière du jour « lui était devenue insupportable / Il la combattait dans sa chambre noire » à l'aide des couvertures. Le verbe « conservait » souligne un positif ; car c'est un appareil photographique et pourtant *transformateur* que le poème, qui combat l'éclairage plat et quotidien pour « conserver » et préserver non seulement les images mais aussi cette chambre noire, lieu privilégié de transmutation poétique.

C'est ainsi que la conscience poétique travaille, contre la simple lumière des objets vus et pour la luminosité d'une vision toute autre : « ... l'objet n'entre dans le réel interne que par le mouvement de vie que lui confère notre esprit » (EV, 27). Ce serait donc une photographie intérieure.

A part ses aspects négatif et positif, et sa fonction de transformateur, la photographie suscite la notion du *regard* que nous regardons maintenant. Idéalement, ce regard — celui qui se fixe sur les lettres et les chiffres, sur les signes et les enseignes, sera partie intime de la scène même, pour mieux opérer l'union entre le voir et ce qui est vu : « Au bout de la rue des astres » (*La Balle au bond,* 1928) commence par une allusion à la précision de la mise au point :

> Les lunettes s'inscrivent exactement dans la forme nouvelle du ciel (MO, 52).

Le moyen de mieux voir serait, à notre surprise, de s'adapter aux lunettes déjà insérées dans la vision, à une inscription déjà faite. Un remarquable poème des *Flaques de verre* (1923) — avoisinant ces « Pièges du vent » dont il a déjà été question dans l'Introduction — fait ressortir ce que les yeux dans la scène ont d'inquiétant et de merveilleux :

> « Dehors » (FV, 25-6)
>
> Des chemins détournés des villes basses, d'où viennent des bruits sourds, passent les taillis sombres contournant les remparts.
> Les pierres bleues couvertes de sueur luisent entre la pâte épaisse de la terre au courant de la peur.
> Tous les doigts, toutes les feuilles d'arbres, toutes les paupières remuent.
> Les prunelles à travers les rayons du ciel sont à l'affût.
> ...
> Les étoiles remuées au fond de la corbeille.
> Les vers luisants piqués aux feuilles de la treille.
> Tous les yeux attachés au fil qui coud la nuit.
> La route décidée à travers tous les plis.
> Et la voix qui va sans qu'on la craigne.
> Des passes du veilleur aux gouttes de rosée qui luisent sur la plaine.

L'œil ici entre en jeu pour donner forme au texte, pour mettre des reflets sur le poème qui s'offre d'abord comme une simple description nocturne : chemin, ville, pierres, arbres, route, plaine. Mais la peur trace son sillon dans le spectacle, contamine la correspondance entre les yeux et les étoiles attrapées dans le panier du ciel : les pierres qui brillent de rosée rappellent la sueur de terreur, le tremblement des doigts et des feuilles et des paupières, tandis que la route reste ouverte à toutes les menaces possibles. Le veilleur reste, comme le texte même, toujours à l'affût. Les nuances du style de Reverdy sont estompées, aucun élément ne prend trop de place, de sorte que la scène elle-même se présente toujours en bas-relief, comme il se doit dans cette poésie de « chambre noire ». Celle-ci sert à développer l'image du texte aussi bien qu'à faire rêver, et les deux fonctions encouragent tout le drame d'un théâtre intérieur, qu'on pourrait comprendre comme la particularité de la poésie.

Mais si on relit le texte en le déformant un peu, comme la passion déforme souvent la vision, il révèle une passion métapoétique de premier ordre. Le poème veille surtout sur son être propre et la scène semble s'ouvrir sur une question : « D'où viennent ces bruits sourds ? » Ces pierres bleues sur lesquelles on voit la rosée de nuit ou la sueur terrorisée sont maintenant une paire d'yeux bleus qui veillent doublement, car en supprimant une lettre, le poète a bien montré ces autres pupilles étoilées qui brillent de leur lecture dans le texte lumineux du ciel :

l[u]isent → [lisent]

Car les « rayons » des étoiles sont aussi des étagères pour ranger des volumes : et les étoiles ne sont pas seulement « remuées » dans le panier, mais des yeux re-muets, tombés une fois de plus en silence, tandis que les « vers luisants » eux-mêmes sont aussi, par le changement d'une seule lettre — et par analogie avec les pierres bleues qui « l[u]isent » — des *vers lisants,* collés entre les *feuilles* du grand livre de la nuit, dont le dos est cousu par un fil qui lie les multiples *plis* du volume, ces ouvertures mallarméennes.

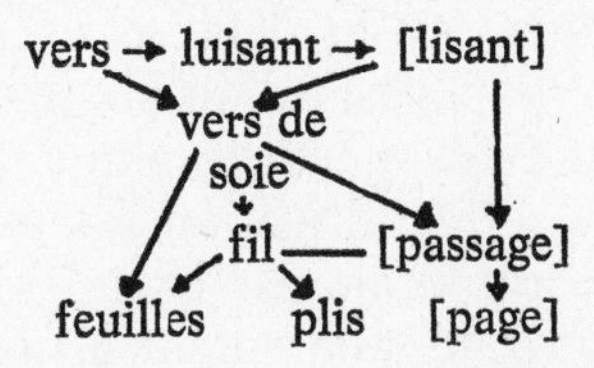

Le fil tissé par ces vers de soie donne le texte, dont la fabrication en livre nous occupe : feuilles, plis, lecture. Etant donné l'interprétation que nous faisons :

vers luisant → { rosée
sueur → [lisant]
prunelles }

l'imbrication des motifs pourrait se schématiser ainsi :

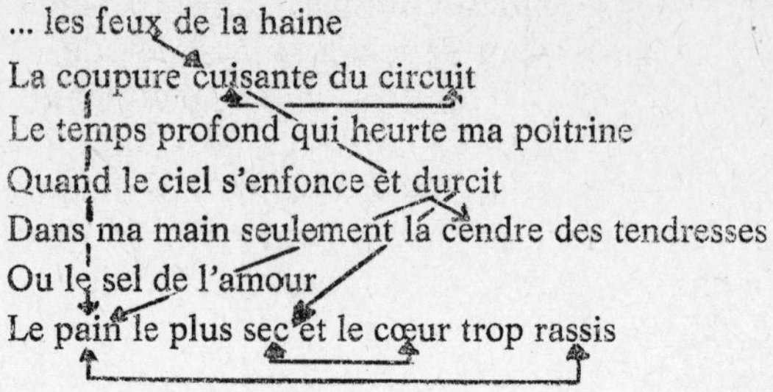

... les feux de la haine
La coupure cuisante du circuit
Le temps profond qui heurte ma poitrine
Quand le ciel s'enfonce et durcit
Dans ma main seulement la cendre des tendresses
Ou le sel de l'amour
Le pain le plus sec et le cœur trop rassis

Ce bref texte nous fascine par son obsession de la lecture de l'œil qui intervient dans l'objet observé pour rendre le regard. Walter Benjamin décrit le désir qu'a tout spectateur que le spectacle lui retourne son regard : le spectacle de Reverdy doit combler un tel désir.

Dans les textes de Reverdy, comme on vient de voir, il s'agit surtout de rendre le regard perçant et d'accentuer son rapport avec l'objet vu : souvent dans les manuscrits, par exemple dans les contes de *La Peau de l'homme,* la plupart des modifications servent à exagérer le geste tel qu'il est vu, pour rendre ce rapport plus vivant. Cette volonté d'intensifier gestes et détails, de colorer le texte et d'aviver le regard, explique l'attention à la spécificité des détails « intérieurs », après une poussée initiale de teinte vaguement symboliste et allégorique. Pour illustrer le ton de la description même, tout en gardant l'image de la photographie en noir et blanc, de l'ombre (négative) et de la lumière (positive), nous ne donnerons ici que des exemples *pris* — comme la photo est prise — d'abord dans la matière des textes intitulés « Au Bord de l'ombre », « Ombre » ou « Matin », ou alors, des textes où prédominent des images de nuit et de clarté — lampe, ciel, étoiles, ou la montre qui y correspond et qui montre, comme nous l'avons déjà vu.

« L'Ombre » présente le portrait d'un homme à la fois distant et présent, dont le destin est évidemment tragique, juste « un homme » et pourtant aussi « moi ». L'identification est immédiate, et le profil aplati contre la surface murale est brutalement interrompu, la sensibilité visuelle et typographique aidant à mettre l'accent sur ce qui sépare et détruit : l'accent est donc mis sur le destin individuel qui vient tout de suite remplacer l'indéfini de « l'homme » debout dans le chemin de « L'Ombre » :

Un homme
        Et je suis celui-là
        Sur le mur

Un profil s'abat
silhouette décapitée
...
Sur les lèvres
Perché
Perdu
En passant ta main l'a arraché
Des gouttes de sang chaud
coulent doucement dans la nuit
Un homme, celui-là, n'a pas encore dormi (MO, 232)

MS : Dans ce poème la typographie a été profondément modifiée. Le manuscrit porte l'indication, de la main de Reverdy, « Composer dans l'ordre de la copie », et l'espacement est assez complexe. Entre les images les plus fortes, il y a un espace. Ainsi le texte est-il typographiquement *décapité* dès le début et la partie finale se révèle arrachée du reste.

Un homme
Et je suis celui-là
Sur le mur
Un profil *s'abat*

silhouette *décapitée*
La porte tranche le mot
le corps
ta figure décomposée
Triste nouvelle
Une larme dans ta prunelle
Un peu d'eau
Ah ! que ton front caché sous ton chapeau
est comme ton cœur
Une lueur
Une perle au bout des doigts
Un mot doucement reste comme un oiseau
Sur les lèvres
Perché
Perdu
Un fruit reste pendu
En passant ta main l'a *arraché*

Des gouttes de sang chaud
Coulent doucement dans la nuit
Un homme celui-là n'a pas encore dormi

La typographie originale souhaitée aurait gardé l'aspect brusque de la décapitation et de l'arrachement : c'est plutôt le profil qui a été abattu.

Dans un autre cas, la spécificité de l'homme individuel assumée par le poète (« Et je suis celui-là ») vient remplir l'espace d'abord généralisé (« L'homme »), par exemple dans le conte « Au Bord de l'ombre » qui montre le désir de ne pas parler en aphorismes vides ou trop abstraits. C'étaient, après tout, des toits d'ardoise très particuliers et une lucarne ovale bien précise dont parlait le poète avant ; cette volonté de précision est souvent marquée dans les manuscrits.

Un autre changement dans ce même conte illustre la façon dont l'élimination d'une majuscule peut affecter le ton du poète :

> Mais quand le grand couteau tombe et tranche d'un coup net les deux parties du jour — midi — laissant les deux côtés de la paroi luisante des blessures... (« Au Bord de l'ombre », PH, 87)

MS : Dans le manuscrit, le terme « — Midi — » est isolé dans la phrase, que la majuscule raidissait en son centre, lui donnant comme une couleur antique. Reverdy a enlevé toute trace du « symbole » abstrait et non-individualisé.

Or, tous les changements de majuscule en minuscule impliquent un désir d'ambiguïté poétique, d'hésitation entre le symbolique et le concret, deux éléments essentiels à toute poésie complexe. Les trois modifications ci-dessous travaillent dans ce sens.

« Matin » (MO, 219)

Auréolée
La tête aux *cheveux de satin*
...
Sur l'*oreiller*
Front rougissant
Tête penchée
...
L'*oiseau* vibre comme un réveil
...
La guêpe a quitté son corset
La dame *a mis* ses bracelets
La baignoire est pleine
La *mer*

MS : A part le « front » et la « tête » qui étaient en minuscules — diminutifs d'affection, peut-être — les modifications paraissent d'abord légères : à la place de « l'oiseau », on lisait « La tête », à la place de « La dame a mis » on lisait « met », et à la place de la « mer » on lisait « Mer ». On verra pourtant que ces changements affectent profondément le sens.

Le titre original du poème, « Auréolée », est une transposition évidente de cet oreiller sur lequel la mère a mis son front rougissant et sa tête, dont l'attitude habituelle (« penchée ») a déjà suggéré probablement « une pensée » au quatrième vers. Le fait que l'oiseau remplace la troisième apparition de « la tête » sert à alléger l'allusion assez claire, tandis que cette dame aux cheveux de satin et à la taille de guêpe met ses bracelets au passé dans le texte final, pour s'éloigner un peu de la scène présente, toujours marquée par l'obsession. Elle prendra son bain, dont l'eau permet la transition traditionnelle phonétique et sensuelle : [mère] → mer, mais pour qu'elle disparaisse vraiment du texte, il fallait que la « mer » ne soit pas accentuée au point où on devine tout de suite, derrière cette « mer » hautement allégorique, cette autre mère réelle dont la présence est assurée grâce au lecteur. La transposition poétique qui s'opère dans la chambre noire rend à supprimer ce qui est trop clair afin d'établir ce « réel-néant » dont parle le poète.

La réduction de majuscules se fait souvent dans les poèmes de cette période : dans le poème suivant « Le Monde devant moi », on trouve « La nuit claire » qui était originellement « La Nuit claire ». Ainsi, dans « Dernière heure », au centre du vers :

> Derrière l'*arbre* ou la lampe

on lisait « Arbre », — symbole du genre claudelien, étranger à l'ambiance à la fois nuageuse et précise des textes de Reverdy. De même, dans le poème « Note », celui qui commence par l'image, cachée à demi, du réveil-matin, l'avant-dernier vers, fait encore allusion à l'horloge, et à sa correspondance avec le ciel : le poète qui établissait la correspondance avait droit à la majuscule déifiante : « L'Auteur », mais il se ramène à la modestie :

> ... l'auteur la table les mots la lumière

Ainsi le poète, après avoir suggéré les deux séries d'images, céleste et littéraire :

a) réveil-matin → table → [table de l'écrivain → mots] → l'Auteur
b) réveil lumineux → lumière du ciel → l'Auteur céleste

se contente d'une suggestion plus voilée : « l'auteur ». Le dernier vers du poème, qui suit directement, reprend les deux sens possibles, en ajoutant dans une deuxième version un mot final collectif qui donne un ton rhétorique inaccoutumé chez Reverdy :

> Il ne restait plus que l'émotion sublime — dégagée de tout — *l'humanité.*

Le sublime et l'humain résument ainsi les deux thèmes du poème, fusion fortement accentuée dans le manuscrit par un point final ajouté après « l'humanité » ; le texte final opte encore une fois pour l'ouverture et l'ambigu.

La tension existe donc, au plus haut degré entre ces deux tendances : l'une vers le concret, l'autre vers le général, modelant ainsi le profil de l'œuvre reverdienne d'une façon ambiguë. La photographie de l'âme individuelle dans son inquiétude peut servir de microcosme pour l'humanité angoissée, et la chambre noire devient une image de choix pour le lieu privilégié de transformation.

D. — GALERIE, CADRE, PORTRAIT

« Mais il faut tenir toujours compte du cadre » (MO, 53).

Comme nous venons de voir, Reverdy se dirige vers le portrait particulier, tout en gardant quelque désir de l'universel : « cet homme » à la fois « l'homme » et « un homme ». Un des problèmes les plus épineux serait celui-ci : dans quelle mesure le *portrait* tel que nous le voyons dans quelques textes réussit-il à participer à la fois du général et du particulier ; comment éviter le ton personnel tout en préservant le portrait individuel ? Dans le même conte qui nous a déjà fourni plusieurs exemples, « Au Bord de l'ombre », un changement nous montre une solution élégante. Le texte actuel se lit :

> Voilà tout ce qui eût frappé sans merci un observateur doué de profondeur et de perspicacité, mais pas vous, sans doute, ni moi qui n'ai jamais rien déchiffré de tel... (PH, 89)

MS :

> Voilà tout ce qui eût frappé sans merci un observateur doué de profondeur et de perspicacité, mais pas moi qui n'ai jamais pu rien voir de pareil...

(Pour la version finale, le poète ajoute ce geste verbal qui reconnaît l'existence de la conscience de l'autre, du lecteur, et en même temps il évite cette modestie qui pourrait sembler un peu excessive : « qui n'ai jamais pu ».)

L'exemple le plus remarquable de cette façon d'atténuer l'allusion personnelle se trouve sans doute à la fin du conte « Le Buveur solitaire », dans *Risques et périls*. Toute la conclusion a été profondément modifiée, mais la plupart des modifications ne servent qu'à aiguiser l'impression qui se dégage d'une description (e.g., « crapuleux » ajoutée comme adjectif au « bar », ou bien la longue expression « un viveur aussi profondément solitaire » qui remplace le simple « un solitaire »). Pourtant, tout à la fin, on lisait dans le manuscrit l'extraordinaire passage ci-dessous, tragique, sarcastique, et infiniment important parce que les mots éliminés montrent tous les sentiments profonds que le poète a finalement évité de laisser paraître sous une forme aussi évidente. L'effet des modifications se fait sentir dans tout le reste de l'œuvre, sur laquelle les mots retranchés projettent, même en leur absence, une lumière inquiète. Tout le passage a été supprimé :

MS :

> On trouvera dans la chambre du buveur solitaire des papiers qui n'avaient pas servi tout entiers à allumer ses cigarettes. Vous verrez bien tout ce qui traînait encore dans ses tiroirs et son esprit.

Mais on voit bien aussi que ce qui « traînait encore » a pu fournir la base de notre lecture actuelle du poète.

Nous passerons brièvement en revue quelques poèmes-portraits où la perception du modèle passe en une sorte de va-et-vient dans la conscience du tableau même, de sa forme et surtout de sa clôture — de son cadre — et de la façon dont tableau et page deviennent presque interchangeables. S'il « faut toujours se souvenir du cadre », le rapport page/tableau est clairement dessiné, et le portrait du poète, aussi bien que celui du lecteur qui le sous-tend, est esquissé à partir de ce rapport. Regardons le poème « Reflux » (de *Ferraille*) : « ... je me prépare, je suis plus pâle et plus tremblant que cette page où aucun mot du sort n'était pas encore inscrit » (MO, 342). L'image du miroir semble résumer le tout dans son espace propre.

« Fausse porte ou portrait » (*Les Ardoises du toit*) indique un espace de vision rectangulaire et transparent, place et page ouvertes aux yeux du regard passionné et glacé :

Dans la place qui reste là
Entre quatre lignes
Un carré où le blanc se joue
...
Mais tes yeux
Je suis la lampe qui me guide
...
Entre quatre lignes
Une glace (PT, 219)

La symbiose possible entre parole ou discours poétique et la page dans laquelle elle est prise comme un tableau dans un cadre est à la base du poème « La Parole » (MO, 67), où la lumière de la vision suffit à éclairer pour un chemin où toute lumière non personnelle s'est soudainement éteinte.

Si la lumière s'éteint, tu restes seul devant la nuit.
Et ce sont tes yeux ouverts qui t'éclairent.
...
Et, tout à coup, tu penses au portrait blanc qu'encadre la fenêtre. Mais personne ne passe et ne regarde... (MO, 67)

Le contraste est fort entre celui qui éclaire par sa vision et son imagination visuelle et les aveugles volontaires. Contre l'inconscience de ceux-ci s'insurge la conscience à vif du poète qui s'exprime dans le regard et le méta-regard, dans le textuel et le métatextuel. « Galeries » (MO, 125-7) fournit justement une gamme de possibilités de ce genre, le regard portant sur

Le reflet du monde
Sur l'écran (MO, 125)

Pour garder ce reflet multiple et pour ne pas trahir le flux ambigu du monde, le poème dans sa version finale semble chercher à capter ce flux et cette ambiguïté, là où souvent régnait dans le manuscrit un vrai prosaïsme. En voici un exemple :

> Le front *plissé* a *dissipé* son rêve
> Et tout ce qui derrière était *passé*
> Une seule fois
> dans le temps qui s'amasse (MO, 126)

MS :

> Le front *plissé* a *dissipé* son rêve
> Et tout ce qui derrière était *passé*
> Une seule fois
> Le même temps qui *passe*

La chaîne de suggestions phonétiques était donc : issé — iss + p + é — passé — passe — masse ; le changement graduel se fait en déplaçant la consonne « p », puis en la modifiant pour adoucir la répétition tout en variant la base « issé — assé — asse ». Le fait que le verbe « passer » était littéralement d'abord passé de gauche à droite a été dissimulé dans l'édition la plus récente.

La notion de *passage* est évidemment à l'origine du poème. Mais, pour cacher cette origine, le temps qui passe [cliché] est devenu le temps qui « s'amasse ». Deux autres vers du même poème offrent une substitution analogue :

> Le centre se déplace
> ...
> Une étoile se *déclouait* (MO, 126)

Le manuscrit portait : « une étoile se déplaçait ». Dans la version définitive, le passage est voilé. Enfin, il arrive souvent qu'une modification du même genre élimine les marques d'une répétition trop évidente. Encore un exemple :

> Mais quand pourra-t-on revenir
> Au moment où tout peut finir
> La vie entière est en jeu

MS :

> Mais quand pourra-t-on revenir
> A tout moment tout peut finir
> La vie entière est en jeu

La modification ici a deux effets : d'abord, elle atténue l'insistance trop marquée de ces mots déjà absolus — « tout », « finir » — qui n'ont donc aucun besoin d'être soulignés ainsi. Ensuite, elle introduit une complexité absente dans la première version, où le vers ne se lisait que *seul*. Dans la version finale, la syntaxe libre permet de déchiffrer deux expressions qui passent l'une dans l'autre : 1. « Mais quand pourra-t-on revenir ? Au moment où tout peut finir la vie entière est en jeu. » 2. « Mais quand pourra-t-on revenir au moment où tout peut finir ? La vie entière est en jeu. » C'est dans le sens d'une double interprétation que se transforment les passages les plus caractéristiques de Reverdy, ceux dont la résonance est facilement reconnaissable.

E. — CADRE DU RETOUR

« Je n'ai jamais bougé. »

L'idée de transformation marque aussi les expressions telles que « dissiper », « se déplacer », « revenir », « finir » ; elles se trouvent toutes dans le poème « Galeries », qui forme la base de notre étude sur le cadre et le tableau. Le texte montre à ce point de vue un changement essentiel :

La série de portraits qui ne rappellent rien
De ceux que l'on ne connaît pas
Ce sont des gens qui vous *regardent*
Des cadres éclatants *les gardent*

MS :

Ce sont des gens qui vous *regardent*
Des cadres éclatants *les gardes*

La transformation du regard des portraits, qui fixait le spectateur, en regard de ceux qui gardent les portraits, a été supprimée : il n'en reste que les limites du cadre, aussi *fixants* toutefois que le regard des anciens gardiens.

Enfin, selon l'optique de Reverdy, on revient toujours au même point du regard. Le cadre se refermera sur le vide non-conquis, l'espace se fera miroir ; et l'ouverture spatiale se fermera dans le temps. Pour que le texte-portrait reste texte, il faudra l'encadrer comme pour n'importe quel tableau.

1. *Clôture : Renfermement, Fermeture*

Voici qu'entre la page blanche de Mallarmé et la notion, importante à l'extrême, du fragment, s'interpose un moyen terme, qui est la structure du vers de Reverdy. La différence avec les deux autres types de structure est éclatante : le vers de Reverdy laisse entrer du vide de tous les côtés et au centre : l'espace pénètre partout et pourtant le poème se referme, sinon sur la page même, du moins dans la lecture. Pour Reverdy la notion même de la clôture ou de la fermeture semble comporter aussi un côté inquiétant — ce « livre fermé » ou ces « rayons fermés », ou encore « un paysage fermé » mènent à la célèbre et triste image de la « fenêtre bouchée », qui suggère la double cessation de la vision et de la parole : arrêt, fermeture, obscurité et étouffement.

Peu de conclusions sont plus désolantes que celle de « Tête » (*Les Ardoises du toit,* 1918) :

> Mais tes yeux se sont refermés
> Et même les persiennes sont retombées
> (PT, 246)

Il n'y a plus besoin du regard, ni du *dire* ; le texte se referme, comme le livre s'est refermé dans « Dernière heure ». Ce qui a été vu, et l'écrit qui en « dépend » — mais à distance — se nient. Voilà le monde des limites et de la chute, dans la page, dans le livre, dans la vision : on suit la voie du retour dans un silence total.

2. *Ars Poetica : verre et vers*

Flaques de verre, le recueil le plus dense de Reverdy, se clôt consciemment, d'une manière optimiste. Le poème qui le termine, « La tête pleine de beauté » (FV, 134), se structure autour de phrases, de sons et de mots qui se répètent, comme dans les « tourbillons roulants » et les « retours » dont il est question au début. La première phrase commence par une description circulaire interrompue par une simple opposition : « Dans l'abîme *doré, rouge, glacé, doré,* l'abîme où gîte la douleur », avant de continuer par des échos rimés et quasi-rimés : « les *tour*bill*ons roulants en*traînent les bouill*ons* de *mon sang* d*ans* les vases, *dans* les re*tours* de flammes de *mon* tr*on*c ». S'ensuit un équilibre vite établi entre les forces irrégulières et indicibles d'une part et, de l'autre, les forces normales et ordonnées : « Et il y a pourtant l'esprit de l'ordre, l'esprit régulier, l'esprit commun à tous les désespoirs qui interroge. »

Tout le reste du texte, ainsi présenté par des images roulantes ou désordonnées et les appels à l'ordre, est constitué par une longue invocation dont la destination est incertaine — serait-ce l'ordre ? la beauté ? serait-ce un de ces « appels sans secours » dont parle le texte ? — mais dont le lyrisme tout en échos phonétiques et sémantiques laisse transpercer par moments un second texte, au moyen de ce que le poète appelle cette « sinuosité de l'amour enseveli qui se dérobe » ? Dans le passage de toute première importance qui suit, nous soulignons les mots-clé ambigüs : « O toi qui traînes sur la vie, entre les buissons fleuris et pleins d'épines de la vie, parmi les feuilles mortes, les reliefs de triomphes, les appels sans secours, les balayures *mordor*ées, la poudre sèche *des espoirs,* les braises *noir*cies de la gloire, et les coups de révolte... Toi, source intaris*sable* de sang. Toi, dés*astre* intense... Toi, lumière.. Toi, clou de diamant. Toi, pureté... » La scène désespérante est décorée de sable, sang, braises et astres, dont les couleurs rouge, noir et or donnent à l'ensemble une illumination éclatante et passionnée. La première phrase de l'invocation reprend les couleurs du début, distinctement mais en écho, car le « doré » de « l'abîme doré » persiste dans l'expression « les balayures *mordorées* », teintée pourtant de macabre : la *mort* livre bataille à *l'or* ici, dans une répétition obsédante. Les couleurs reparaissent ensuite, plus estompées : le feu (doré, rouge) se meurt, ne laissant que des cendres noires et du sable ensanglanté, ces couleurs de la défaite et du désespoir : « L'abîme ... rouge ... l'abîme où gîte la douleur ... la poudre sèche *des espoirs,* les braises noircies de la gloire. »

Les dernières phrases de l'invocation qui sont aussi les dernières lignes du recueil, forment un art poétique aussi clair que convaincant, applicable à tous les poèmes de Reverdy :

> Plafond des idées contradictoires. Vertigineuse posée des *forces ennemies.* Chemins mêlés dans le fracas des chevelures... ... Toi, douceur et haine — horizon ébréché, *ligne* pure de l'indifférence et de l'oubli... pivot éblouissant du flux et du reflux de ma pensée dans les *lignes* du monde.

Le passage s'effectue sur les lignes du texte et sur les lignes de fuite de sa lecture. Ainsi ce dernier poème des *Flaques de verre* se clôt sur ce sommet éclairant, d'où rayonnent sur le reste de l'œuvre ces lignes transparentes, aiguës, coupantes comme le verre et comme le vers. On pourrait comparer ce texte au titre d'un recueil de Reverdy, « Plein verre », où l'abondance du contenu, mais aussi le contenant peuvent servir à refléter, à rassembler, à encadrer, une pensée visuelle :

> Entre quatre lignes
> Une glace

Ou encore une suggestion de fraîcheur aussi bien que de *source* : on boit dans ce verre, où la substance reste jeune, pour nourrir le texte.

3. *Regarder*

Notre texte final, par exception, est composé d'un seul vers, mais qui reflète en lui-même l'architecture et les thèmes découverts au cours de cette lecture, mieux, de cette re-lecture. Car il n'exprime que la poussée vers une action extérieure qui se retourne, de même que son expression formelle reprise en forme de spirale :

> Vers ces lignes mouvantes qui toujours m'emprisonnent
> (SV, 114)

Poussée initiale, la préposition « vers » — ou serait-ce un nom ? (« Vers, ces ... ») — le mot encourage au mouvement, tandis que l'adverbe « toujours » retient à la même place et au même endroit et le sujet écrivant et le texte, ces « vers » qui emprisonnent narrateur et lecteur, comme dans un miroir. Ce verre ou ces vers / lignes permettent à Reverdy de nous regarder ... de biais, en regardant son texte. Et ce vers isolé tourne en rond ; ce vers isolé pourrait être le reflet exact et complet de la courbe de ces poèmes — spirale dans laquelle s'avancera toujours plus avant le piéton de cette poésie qui se veut statique, ce Pierre ou cette « pierre qui n'a pas bougé ».

Car la volonté de l'acte *vers* s'inscrit elle-même dans l'acte d'écrire et ce vers-là, dans le mouvement du passage, s'inscrit entre et se dirige vers les lignes mouvantes et émouvantes de cette poésie en acte.

**
*

A la conclusion de *Sable mouvant,* ce flux et reflux de la parole qui signale la disparition de tout l'actuel « Dans la rature éblouissante du présent » (SM, 31), le poète nous demande de ne pas le contempler directement, mais plutôt par le verre filtrant de ses propres poèmes, une fois raturée la trace trop claire :

> Que nul ne me regarde
> Si ce n'est au travers d'un verre d'illusion (SM, 51)

Qu'est-ce dire d'autre que l'affection portée au voile où à ces vers d'illusion, à cet « œil fixe » qui nous force à relire, d'un regard peu sûr :

> Au fond du *verre* l'œil fixe le ruban la goutte d'or et un regard qui tremble (ASP, 13). (Nous soulignons.)

Dans ce vers-là, le regard tremblant répond bien à notre œil de lecteur, à notre hésitation devant toute relecture.

Nous savons bien que ce piéton de la poésie statique n'a jamais été à l'aise dans le cadre du poème, et nous prenons comme un avertissement à tout lecteur ce qu'il n'a énoncé que pour lui seul, peut-être, en souvenir d'une fausse porte ou alors, d'un portrait ressemblant :

> Il ne faut pas se tromper de porte d'entrée et encore moins de porte de sortie (ASP, 26).

Nous espérons ne pas nous être trompés de porte.

NOTES

[1] Quand cela a été possible, nous avons fait usage de l'édition Flammarion des œuvres de Reverdy, avec des notes de Etienne-Alain Hubert, de Maurice Saillet, etc. Les sigles entre parenthèses se trouvent dans l'essai pour désigner les œuvres utilisées le plus fréquemment.
Au Soleil du plafond, Tériade, 1955 (ASP)
Cette émotion appelée poésie : Ecrits sur la poésie, éd. Flammarion, 1975 (EP)
En vrac, Editions du Rocher, Monaco, 1956 (EV)
Flaques de verre, Flammarion, 1972 (FV)
Main d'œuvre : Poèmes, 1913-1949, Mercure de France, 1964 (MO)
Nord-Sud, Self-Defence et autres écrits sur l'art et la poésie (1917-1926), Flammarion, 1975 (NS)
La Peau de l'homme, Flammarion, 1968
Plupart du temps, Flammarion, 1967 (PT)
Pierre Reverdy, Seghers, coll. Poètes d'aujourd'hui
Risques et périls, Flammarion, 1972 (RP)
Sources du vent, précédé de *La Balle au bond, poésie,* Gallimard, 1971 (SV)
La liberté des mers, Sable mouvant et autres poèmes, Flammarion, 1978 (LM).

[2] Il faut noter que, quand l'angle droit apparaît chez le poète, il semble la plupart du temps aigu de forme. Il s'agit d'une vision délibérément partielle, à demi refermée.

[3] Voir plus haut notre bref commentaire sur la *camera obscura.* Le thème de la chambre noire ou de l'imagination transformante montre des rapports très clairs avec l'appareil concret, sorte d'œil extérieur. L'image intermédiaire serait évidemment l'écrit.

[4] Dans *Au Soleil du plafond,* le poète remarque l'efficacité du trait noir pur, qui effraie, dit-il, chez les peintres ; il le compare à la « phrase négative en poésie ». Un trait, pourrions-nous dire, qui marque une bonne part de sa poésie à lui.

[5] En effet, sous le regard perçant et transformateur et perçant du poète, ce qui aurait pu rester uni se disloque à son centre ou sur les bords, tout passage quelque peu stable se changeant en *Sable mouvant* ; « D'un regard clair et sec, / J'observe la dislocation de la parade / ... / Mais tout avait craqué » (pp. 14-18).

[6] Voir Tristan Tzara, *L'Homme approximatif* (Fourcade, 1931), ou coll. « Poésie », Gallimard, 1970, partie I : « Les cloches raisonnent et nous aussi... »

[7] Nous remarquons le double portrait, doublement faux : « Fausse porte ou portrait » et « Faux portrait » (SV, 23). Voir notre commentaire à ce sujet dans la présentation des poèmes de Reverdy traduits en anglais : Mary Ann Caws et Patricia Terry, ed. et trans. *Poems of Pierre Reverdy* (forthcoming).

[8] La suggestion active pèse si lourdement ici que le verbe « lune » avale la fonction nominale.

[9] Nous nous référons ici à l'emploi particulier de ce terme en psychanalyse lacanienne, sans vouloir limiter l'image de Reverdy à une conception plutôt qu'à l'autre. Le miroir revient plus loin, sous un aspect différent.

[10] On pourrait rapprocher des diverses techniques de Robert Desnos pour détourner notre intérêt de la page du texte jusqu'à un point situé ailleurs qui en nierait l'importance. Voir, pour une étude des poèmes, notre « Robert Desnos : une structuration surréaliste », *Le Siècle éclaté : dada, surréalisme et avant-gardes,* n° 1, 1974 (Minard) ou ailleurs, pour une étude du roman : « Techniques of Alienation in the Early Novels of Robert Desnos », dans notre *Poetry of Dada and Surrealism,* Princeton University Press, Princeton, N.J., U.S.A., 1970 et 1971. Pour une étude plus développée, notre *Robert Desnos and the Adventure of Poetic Language,* University of Massachusetts Press, Amherst, 1977.

[11] Sûrement l'un des plus beaux inventaires qui aient jamais été faits de ces objets cubistes, *Au Soleil du plafond* (Tériade, 1955) contient des lithographies de Juan Gris et des poèmes correspondants de Reverdy ; comme le projet a été conçu 30 ans avant sa parution et que l'artiste est mort avant d'avoir pu réaliser tous les tableaux dont il était question, quelques poèmes de Reverdy restent seuls, témoignage émouvant d'une correspondance de talent et de points de vue. C'est dans ce livre que se trouvent quelques descriptions du travail poétique essentiel que nous commentons ailleurs.

Voici la liste des poèmes de Reverdy, où l'on voit l'attention accordée à ces objets familiers : Moulin à café - Figure - La Pipe - Le Musicien - Le Livre - Guitare - Papier à musique et chanson - Homme assis - Violon - Eventail - La Lampe - Damier - Soupière - Enveloppe - Compotier - Jet d'eau - Masque - Pot de fleurs - Bouteille - Pendule. Nous y reconnaissons les éléments qui remplissent de leur densité inaccoutumée les toiles-poèmes de Reverdy, comme autant d'enveloppes qui cachent et montrent à la manière d'un masque et d'un éventail.

[12] On peut y comparer cet autre poème sur le violon où nous sommes conscients du même détachement et du même automatisme des réactions, assez sinistre : « ... les mains s'attardaient seules dans l'espace... Déjà le violon s'était tu quand les pieds, que l'on ne voyait pas, continuaient à battre la mesure sous la table. » (« Violon », ASP, 81-3.)

[13] La profusion d'allusions au « trou » chez Reverdy est frappante : par exemple, dans *La Plupart du temps II* (coll. « Poésie », Gallimard), le mot se trouve aux pages 42, 79, 89, 103, 114, 126, 130, 141, 227, 228 et *passim.*

[14] « Essai d'esthétique littéraire », *Nord-Sud,* nos 4-5, juin-juillet 1917.

TABLE DES MATIÈRES

Composition du texte :
René Perrin - Notre-Dame 22 - CH-2013 Colombier

Impression :
Imprimerie Nouvelle E.G. Chave S.A. - CH-2002 Neuchâtel

Novembre 1979